ATATÜRK NASIL ÖLDÜRÜLDÜ?

AKİS KİTAP

ATATÜRK NASIL ÖLDÜRÜLDÜ?
OGÜN DELİ

Yayın Yönetmeni : İbrahim Özbay
Editör : Elsün Çalışkan
Kapak Tasarım : Gökhan Koç
Grafik Tasarım : Ayda Alaca
Koordinatör : Erkan İşeri
Film : Grafist Film
Baskı-Cilt : Kilim Matbaacılık Ltd. Şti. 0212 612 95 59
Litros Yolu Fatih San. Sit. No:12/204 Topkapı
Genel Yapım : Endülüjans İçerik Hizmetleri
1. Baskı : Mart 2006 İstanbul
ISBN : 975-9129-70-1
AKİS KİTAP

Osmanlı Sokak Alara Han No: 27 - A
Kazancı Yokuşu Gümüşsuyu/Taksim-İstanbul
Tel: 0212 243 61 82   Fax: 0212 243 62 36
www.akiskitap.com-akis@akiskitap.com

ATATÜRK NASIL ÖLDÜRÜLDÜ?

OGÜN DELİ

AKİS KİTAP

*Bu kitap, kutsal yurt toprakları için canını
seve seve feda edenlere, "İsmail Kahraman ve Kamil
Pişirici"ye ithaf edilmiştir...*

BAYRAK

Ey mavi göklerin beyaz ve kızıl süsü...
Kız kardeşimin gelinliği, Şehidimin son örtüsü,
...
Senin destanını okudum, senin destanını yazacağım.
Sana benim gözümle bakmayanın
Mezarını kazacağım.
Seni selamlamadan uçan kuşun
Yuvasını bozacağım
...
Ey şimdi süzgün, rüzgarlarda dalgalı;
Barışın güvercini, savaşın kartalı...
Yüksek yerlerde açan çiçeğim
Senin altında doğdum
Senin dibinde öleceğim.
...
Yer yüzünde yer beğen:
Nereye dikilmek istersen,
Söyle, seni oraya dikeyim!

A. Nihat Asya

Ogün Deli

Araştırmacı-yazar Ogün Deli, 23 Mart 1969 tarihinde Ankara'da doğdu. Şentepe Lisesi mezunudur.

Ulus, Türkiye, Sabah gibi çeşitli basın kuruluşlarında görev yaptı.

Yazarın yazıları; Divan, Güney Süvari, Yeni Kervan, Yankı, Kırmızı Çizgi gibi dergilerde yayınlandı.

Türkiye Dergisi 95 Antolojisinde Başarı Mansiyonu aldı.

1997 yılında "GÜLHAZAN" ismi altında ilk kitabını yayınladı. 1998 yılında bu kitabın genişletilmiş son baskısı yapıldı.

Yazar, 2004 yılında Atatürk'ün vefatına ilişkin "AGONİ" isimli kitabını yayınladı.

Evli ve iki çocuk babasıdır.

İletişim:
www.ogundeli.com

İÇİNDEKİLER

ÖNSÖZ

Dünya üzerinde yaşayan tüm canlılar bir gün ölecektir. Bundan kaçış yok. Hayatın bize sunduğu seçenekler ise oldukça sınırlıdır. Bu sınırlı seçenekler arasında insanlar kendilerine bir yol çizmek zorundadırlar. İşte dünya hayatımız son bulduğunda çizdiğimiz bu yolda bıraktığımız izler bizim hakkımızda gelecek nesillere ipucu verecektir. Onlarda gelecek hayatlarını bu izlere bakarak daha iyiye ve güzele yönelteceklerdir.

İnsanlık tarihi varlığı süresince, Ulu Önder Atatürk'ün bizlere bıraktığı bu kıymetli izleri takip ederek ve Yüce şahsını anmakla geçirecektir. Bu şans tarih boyunca hiçbir lidere nasip olmamıştır.

Her karış toprağı şehitlerimizin kanı ve canı kokan Kutsal Yurt topraklarımız, Atatürk gibi bir liderle buluşarak daha çok anlam kazanmıştır.

Bu sözler bazı çevrelerce abartılı ve hoş karşılanmaya bilir. Bu oldukça da normaldir. Asırlardır Türk Milletine düşmanlık besleyen bu kesimler şunu hiçbir zaman akıllarından çıkarmamalıdır.

Kutsal Yurt Topraklarının bağrından çıkan Ulu Önder Atatürk, Kutsal Yurt Toprakları üzerine seksen küsur yıl önce attığı fikir tohumları bugün daha da olgunlaşmış ve gerektiğinde bu Yurt için seve seve canını hediye edecek analar, canlar oluşturmuştur.

İşte bir avuç gaflet ve delalet içinde bulunan kesimler ve onların destekçileri bu sözlerimi akıllarından hiç çıkarmamalıdırlar.

Bizler, bize savaşmaktan öte, ÖLMEYİ EMREDEN BİR KOMUTANIN ASKERLERİYİZ. BİZE GÜCÜNÜZ YETMEZ. BİZ DÜŞTÜĞÜMÜZ TOPRAĞIN ÜSTÜNDEN MİLYONLAR OLUP TEKRAR DİRİLİP SAVAŞACAĞIZ.

Kitabın içinde konuları değerlendirirken farklı bir yöntem kullanıldı. Belgeler ile konular dipnotlarla ayrılarak işlendi.

Bununla birlikte bu kitabın hazırlanmasında bana gösterdikleri ilgi ve alaka için teşekkür etmem gereken o kadar çok insan var ki onların buraya isimlerini yazmaya kalksam her halde ayrı bir kitap daha oluşacak. Ben Yüce Türk Milletinin bana göstermiş olduğu bu ilgi ve alaka için onlara her zaman minnettar olduğumu söylemeyi bir borç bilmekteyim. Keşke bizim liderlerimizde güçlerini bu Yüce Türk Milletinden alabilseler. O zaman bazı şeyleri başarmamız daha kolay olacak.

Biz ne bir aşiret, ne kavim, ne ırk, ne de ümmetiz. BİZ KENDİSİNİ TÜRK KABUL EDEN, HENÜZ SINIRLARI VE RUHU ÇİZİLEMEMİŞ YÜCE TÜRK MİLLETİYİZ.

GİRİŞ

Bir Hakikat Kalmasın Alemde Allah'ım Nihan
AVNİ

Her sabah gözlerimizi açtığımız vakit, camilerin minaresinden çıkıp kulağımıza okunan sela ilişiverir. Biraz sonra sela'yı okuyan tarafından ölen meftanın "İsmi kimdir?" diye merakla dinlemeye geçeriz.

İsmini duyduğumuz şahsın arkasından "Allah Rahmet eylesin" demekten başka, içimizde burkulma ister istemez hisseder, sıranın bize ne zaman geleceğini düşünürüz.

Kesin mukadderat bir gün bizim de kapımızın eşiğinde gerektiği şekilde yerini alacaktır. O yüzden ölümden korkmamak gerekdir. Zaten bunu çok güzel şekilde dile getiren Atatürk; "Ölümden korkmak ancak ahmakların işidir" diyerek insanlığın bu son evresini net bir şekilde dile getirmiştir.

Sınırları zorlayanlar ya da işi bilenler, bilirler ki, ölüm ya da bedenin şekil değiştirip başka bir evreye geçişi sürekli olarak devr-i daim eden bir gerçektir.

O zaman yok oluş yoksa insanları bu kadar üzen şey nedir? Her halde bu dünya sınırları içinde bir daha, sevdiğiniz insanı görememek, ellerini tutmamak, "Günaydın" ya da "İyi akşamlar" diyememek olsa gerek.

Bunların dışında bütün milletlerin hafızasından bir türlü atamadığı ve kendisine karşı güzel duygular beslediği liderleri olmuştur. Bu insanların bedenlerinin yok olup gittiğine hiç inanamayız. Onların da bizim gibi sıradan bir vatandaş ya da insan olduğunu algılamakta güçlük çekeriz. Bu liderler ne yer, ne içer? Onları hatasız ve kusursuz insanlarmış gibi algılar ve öyle görürüz.

Maalesef öyle olmuyor. Kimi vakti zamanı geldiğinde (Dünyaya gelmiş olan tüm ilahi kaynaklı insanlar ve gerçek liderlerin yaş ortalamalarına bakarsak orta yaşlarda öldükleri ya da öldürüldüklerine şahitlik ederiz. Kendilerine verilmiş olan misyonu tamamladıktan sonra bu insanların hayatının son bulduğu, tarihi gerçektir) kimi de kendi dışında gerçekleşen insan kılıfına bürünmüş canilerce öldürülmekle karşı karşıya kalmaktadırlar. İlahi takdir bu konuda ne der? Ya da nasıl bir karar bu insanların ölümüne göz yumar? Bunu anlamakta bazen güçlük çekiyorum.

Gazi Mustafa Kemal Atatürk de maalesef ve yıllardır bir sır gibi saklanan suikast sonucu öldürülmüştür.

Elinizdeki bu kitap bir serinin ikinci kitabıdır. İlk kitabın içindeki bilgi ve belgeler, yorumu, Yüce Türk Milleti'nin kendisine bırakılmak üzere yayınlanmıştır.

Burada şunu da açık yüreklilikle dile getirmek istiyorum. Bu cennet ülke toprakları için bir çok aydın, Emperyalistlere karşı yaptığı mücadele sonucu şehit edilmiştir. Bu kutsal yurt toprağımıza şeref üstüne şeref katmış olan insanların, görüş ve düşünceleri ne olursa olsun saygı ve sevgiyle selamlamak isterim.

Tarihimizi bize anlatan ya da yazanlar maalesef bize bir çok konu da olduğu gibi bir konuyu daha atlamışlardır o da Atatürk'ün yakın hizmetinde bulunanlardır.

Büyük Önder Atatürk'ün vefatında yanında bulunan hizmetlileri'nin kim oldukları ve nasıl insanlar olduğu ve bunların akıbetininde ne olduğu maalesef pek bilinmemekte.

Bu insanların Atatürk'e karşı yaptıkları hizmet ve gösterdikleri sadakatın tartışma götürmeyeceği kesindir. Atatürk'ün hizmetinde bulunmuş olan, Cemal Granda yani

Atatürk'ün verdiği ismiyle "Çelebi" nin kitabında konuya ilişkin bizlere bazı ipuçları vermektedir. Yine bunlara ek olarak Atatürk hakkında yazı ve makale yayınlayanların çoğunluğunun sabataist ya da dış destekli dernek ve kuruluşlarla alakalı insanlar olması, akıllara yıllardan beri yazılan ve binlerle ifada edileçek olan hatalı tarih ve yanlış bilgilerin Atatürk kronolojisinin oluşmasında bu olayın bir rastlantı değil aksine kasıtlı olarak yapıldığını maalesef belgelemektedir. Üstelik bizzat Devletin kurumları bünyesinde ve ünvan sahibi insanların da kontrolünde yayınlanan bu makale ve yazılar karşılığı, bu insanlara, devlet ne kadar ücret ödemiştir, bu da ayrı bir tartışmadır.

Bugün ortalıklarda çeşitli ünvanlar altında dolaşan ve yıllarca toplum tarafından, yazdıkları ilgiyle okunan bu yazar çizer takımının yazıp çizdikleri sorgulanmadan, tartışılmadan toplum tarafından kabul görmüş sonuç olarak da çözülmesi ve anlaşılması güç bilgi ve belgelerle konuyu objektif ve tarafsız olarak çözmek isteyenlerce yeni güçlüklerin çıkmasına neden olmuşlardır.

İLERİYİ GÖREN BİR LİDER

"SİZİN İÇİN BİLMEM AMA,
BİZİM İÇİN DAHA İKİ YIL
YAŞAMASI GEREK. "

Yukarıdaki sözler, Romanya Kralı Karol'un, 19 Haziran tarihinde saat 14. 00'te Atatürk'ü, Savarona Yatında ziyaret ettikten ve görüşmeler bittikten sonra Yat'ın merdivenlerinden inerken sarf ettiği sözlerdir.

Gerçekten de Atatürk, dünya üzerindeki siyasal ve sosyal eğilimleri ve ülkeleri çok iyi tanıdığı gibi; sadece Türkiye Cumhuriyeti Devleti ile sınırlı kalmayıp bizim dışımızdaki ülkelerin yönünü de tesbit edebiliyordu. Buna delil gösterebileceğimiz binlerce örnek vardır. Bunların içinde ise bugün üzerinde yaşadığımız toprakların nasıl bir irade ve ileri görüşle kazanıldığı, en güzellerinden biridir diye düşünmemiz gerek ama zamanında ve günümüzde Atatürk'ü tam olarak kavrayamamış olan idareciler, Atatürk'ü yeteri kadar anlamış olsalardı bugün düştüğümüz bu durumlara gelir miydik? Ama bizim dışımızda Atatürk'ü gerekli şekilde değerlendirmiş milletlerin var olması da ayrı bir soru işaretidir. İkinci Dünya Savaşı'nın neredeyse bütün unsurlarıyla ortaya koyduğu Amerika Birleşik Devletleri Genelkurmayı Başkanı Mc Arthur ile yaptığı konuşma metinleri gerçekten ilginçtir.

Bu belgeler maalesef bizde değil Amerika Birleşik Devletleri Genelkurmayı tarafından muhafaza edilmektedir. Olay nasıl gelişmiştir?

1932 yılında, ABD Genelkurmay Başkanı Mc Arthur çıktığı dünya turunda, Türkiye'yi de ziyaret eder(1933). İstanbul'da Atatürk ile başbaşa görüşmeler yaptıktan sonra, görüşmelerin sonunda Amerikalılar tarafından bu metinlerin tamamını ülkelerine götürür. Kore Harbi bittikten sonra yani 1951 yılında Amerika'da yayınlanan bir dergide (The Caucasus) bir kısım belgeler önce Amerikan kamuoyuna sunulduktan sonra bizim ülkemizde de yayınlanmıştır. ABD Genelkurmayı İkinci Dünya Savaşı hakkında bilgiler içeren (Biz bu bilgilerin sadece bize gösterilenine vakıf'ız bunun dışında neler olduğunu bilmiyoruz.) Bu metinlerin zannedersem bir kısmını yayınlamıştır. Benim anladığım kadarıyla ileri ki tarihlerde Atatürk'ümüzün bu konuşma metinleri içinde henüz yayınlanmamış olanları da çıktığında Atatürk'e karşı olan hayranlığımız bir kat daha artaçaktır.

Bu serinin ilk kitabı olan "Agoni"de Ulu Önder Gazi Mustafa Kemal Atatürk'ün tedavisinde uygulanan yöntemler ve verilen ilaçların yan tesirleri ortaya bir bir konulduğunda Atatürk'ün vefatında ciddi sorunlar ve sorumlular olduğu ortaya çıkmaktadır. Belgelere dayalı olarak yayınladığımız bu kitap, Yüce Türk Milleti'nin dikkatini çekmiş buna karşın yetkili kurumlar ve şahısların ağızlarını bıçak açmamıştır. Bu ülkenin koltuk ve makam sahibi yetkilileri, ortaya konulan bu belge ve bilgiler karşısında susmayı yeğlerken, kendini "Atatürkçü", "Ulusalcı", "Vatanperver" kabul eden basın ve yazarlarda böyle bir kitabın varlığından haberleri yokmuş gibi davranarak olayın kapanmasını yeğlemişlerdir.

Zaman zaman bu konuyla ilişkili olarak yazılan ve çizilenler olmuş ve değişik iddialar da ortaya atılmıştır. Bunlardan bir tanesi de, Metin Toker'in "Not defterinden" isimli köşesinde yer alan şu ilginç olayı naklediyor, yazının başlığı: "Tımarhanelik Tarih Yazılar"

"1935'te Mareşal Fevzi Çakmak Atatürk'ün 1938'de öleceğini biliyormuş. Niyeti, O'nun yerine İsmet İnönü'yü oturtmakmış. Daha 1935'te hesap ediyormuş ki, 1938'deki böyle bir girişimine "İçişleri Bakanı Şükrü Kaya/Dışişleri Bakanı Tevfik Rüştü Aras" ikilisi o vakit karşı çıkacaklardır. Niçin? Çünkü Şükrü Kaya ile Tevfik Rüştü "Müdafaa-i hukuk öğretisi"ne yakın, daha solcu, daha Sovyetler Birliği yandaşı bir hükümet isteyeceklermiş. Peki ne yapacaklarmış? Mareşal onların 1938'de ne yapacaklarını da 1935'te görüyormuş. "Sosyalist sol" ile temas arayacaklarmış. Nasıl? Şevket Süreyya vasıtasıyla Nazım Hikmet ile görüşerek destek ve işbirliği isteyeceklermiş.

...Mareşal 1935'te Nazım Hikmet'i yakalatmış, mahkemeye vermiş, mahkum ettirmiş ve hapsettirmiş.

Sene, 1935. Atatürk sapasağlam. Daha iki yıl önce büyük bir coşku içinde ve milletiyle birlikte Cumhuriyet'in 10. yıldönümünü kutlamış... 1935'te, 1938'deki "Ölüm ihtimali" üzerine Cumhurbaşkanlığının devri hesapları yapılır mı?"

Metin Toker, Allah'ın Rahmetine erdi. Yaşasaydı eğer ortaya konulan bilgi ve belgeler karşısında ne derdi? Aslında bu olması muhtemel olmayanların gerçek olduğu düşünüldüğünde şaşılmaması mümkün değildir.

Bir çok kereler suikastlara uğramış olan Atatürk'ün öldürülmesinde, tarihi çok eskilere dayanan ve bir çok liderin, Sultanın ölüm nedeni sayılabilecek tıbbi yollarla yok etme planını devreye sokulmuştur. Bunlarla birlikte Atatürk, "Bu çevresinde olup bitenlerden habersiz ve tedbirsiz miydi?" gibi bir soru da akla gelebilir. Hayır Atatürk her şeyden haberdar ve tetikte bekliyordu. Granda bu konuya açıklık getiriyor.

"Atatürk, maiyetindekilere fazla güven gösterir gibi olmasına rağmen her zaman tetikte ve uyanık kalmasını bilmiştir. Ankara ve İstanbul içindeki gezilerinde olsun, yurt içi gezilerinde olsun kendini korumak için alınan tedbirlere güvenmeyip, her zaman dikkatli davranmıştır."

Bir gün Dışişleri Bakanı Tevfik Rüştü Aras'la görüşürken şöyle dediğini hatırlıyorum:

'Ben kendimi kendim korurum. İçişleri Bakanı, Emniyet Genel Müdürü, Vali, daha ne kadar varsa, ilgili kişiler benim korunmam için bir takım tedbirler alırlar. Bunlar onların görevidir. Bu işlere hiç karışmam. Kanuni görevlerini yapmalarına da karşı gelmem. Fakat kendi koruma işimi kendim yaparım ve yapmaktayım. Gelip geçtiğim yerlerde neler olup bittiğine dikkat ederim. Gezi saatlerini, günlerini gerektikçe kendim değiştiririm. Benim dikkatimden hiçbir şey kaçmaz.'

"Atatürk'ün gezilerinde arkasında her zaman yaverleri olduğunu bildiği halde, tabancasını eksik etmediği ve üzerine almadan dışarı adım atmadığını çok iyi hatırlarım. "

Bu oldukça doğal bir durumdur. Bilinen ve bilinmeyen kereler silahlı ve bombalı saldırılara uğramış ya da önceden engellenmiş, cephelerde savaşmış bir insanın kendini koruma konusunda bilgisiz ve tedbirsiz olması düşünülemez.

Fakat gerek çevresindeki Dalkavuklar gerekse de siyasi hasımları tarafından ortaya atılan dedikodular, zaman zaman halkın beyninde şüpheler uyandırmıştır.

Bunların içinde Atatürk'ün hasta olduğu, felç geçirdiği, gözlerinin görmediği gibi çoğaltabileceğimiz vakıalar, Atatürk'ün hayatında sıklıkla karşılaştığı konular olmuştur.

Tabii ki atılan iftira ve dedikodularda, diğerlerinde olduğu gibi hizmet ettiği insanlar ve kurumlar mevcuttur.

10 Ağustos 1929 tarihinde yat'la Milletvekili Tahsin Uzer'in Büyükdere'deki yalısına giden Atatürk, kendisinin geldiğini haber alan halk tarafından balkona çıkıp selamlaması esnasında, kendisi hakkında çıkan bu asılsız dedikodulara bir bir cevap verdikten sonra konuşmasının sonunu şu sözlerle bağlar:

"...Siz bu akşam karşımda milletin timsali, gölgesisiniz. Size seslenirken, bütün Millete sesimi işittireceğimi biliyorum. İşittiniz, Sizin için çalışacak, sizin için yaşayacağım.

Benim kuvvetim seze olan muhabbetim ve sizin bana olan muhabbetinizdir. Bu millet, bu memleket, dünyanın en makbul bir varlığı olacaktır. Bu milleti, öbür milletlerin üstünde görmeden ölmeyeceğim."

Coşkulu ve heyecan dolu bu akşamın devamında o çok merak edilen ve ölüm sebebi olarak da gösterilmeye çalışılan alkol miktarının ne kadar olduğunu anlamamız için bize ipucu veren şu bilgiye dikkat etmeliyiz.

"Atatürk o gece çok neşeliydi. Hayatında en çok içkiyi de o gece içmişti. O gece sabaha dek içildi. Hepsini hesaplamıştım, üç şişe bira ve yarım şişe Dimitrokopulo (Üç kadehte fazlası vardı.) İşte bütün milletin ve benim de merak ettiğim içki miktarı bu kadardı."

Yani karşımızda alkolik ve içki düşkünü bir insan olmadığını artık kabul etmeliyiz. Ayrıca Tekel idaresinin özelleşmesinin hemen ardından Atatürk'ü ima eden isimler altında piyasaya sürülen içki isimleri de ayrıca manidar ve düşündürücüdür.

Yukarda da kısaca bahsettiğimiz gibi Atatürk'ü öldürmek oldukça güç ve problemliydi, O'nun öldürülmesi işi uluslararası, organize olmuş bir hareket tarafından sistemli ve gizemli olmalıydı. Bu da ancak ilaç yoluyla zehirleyerek gerçekleşebilirdi. 1936 yılının başından başlayarak vefatına kadar sürdürülen bu sinsi operasyonun, dönemin yetkililerinin gözünden kaçıp kaçmadığı, ilerleyen dönemlerde daha da açıklık kazanacak ve bu müthiş gerçek, ortaya bir bir çıkacaktır. Türkiye Cumhuriyeti'nin kurucusu ve Önderi olan Atatürk'ün bu belgelerle ortaya konulmaya çalışılan vefat sebebine sessiz kalmak, yapılacak en büyük hatadır. Çünkü bu vakıa yarın bir başka liderimizin de başına gelebilir. Bugün devlet adamına şahip çıkamayan bir millet, yarın topraklarımıza karşı yapılabilecek bir saldırı karşısında ülkesini ve topraklarını nasıl koruyacaktır? Vefatının ardından otopsi yapılmamış olması bu kanaatimizin ne kadar doğru olduğunun işaretlerini bize vermektedir.

Burada bir konuya açıklık getirmek gerekiyor. Bir gün bu söylediklerimi, Yüce Türk Milleti'ne açıklama gereği duyacak olanların, bu katiller ve olaylar hakkında geniş bilgiler sunacağı kanaatini taşımaktayım. Bugün ben burada "Şu katildir." ya da "Şu örgüt Atatürk'ü öldürmüştür." deme hakkına sahip değilim. Buna Yüce Türk Milletinin vicdanı ve Yüce Türk Milletine karşı sorumlu olan Türk Adaleti karar verecektir.

Atatürk'ün nasıl öldürüldüğünü bu işi nasıl başardıklarını daha iyi anlamak için biraz geçmişe dönerek tıp geçmişimiz iyice araştırılmalıdır. Çünkü bu tarihlerde uygulanan tedavi yöntemleri iyi anlaşılacak olursa günümüzde yaşadığımız sağlık problemlerimizi daha iyi kavramış olacağız. Bunun paralelinde ise bu gün dünya üzerinde faaliyet gösteren ve ülkelerin ekonomisini direk etkileyen ilaç sektörünün ülkemizdeki gelişimine ve dönemin şartlarına da bakmalıyız.

İlaç sektörümüz için yapılan ve kendi ilacını üretme çabasına girmeye çalışan ülkemiz maalesef bir çok konuda olduğu gibi bu konuda da büyük yaralar almıştır. Bunlara en basit olanında bakacak olursak, Diş macunu beklide konunun en basiti ve en ciddi sonuçları ortaya koymaya adaydır diye düşünmekteyim. Ülkemizde üretimi yapılan ve her bir ev de en az bir adet bulunan diş macunu ve yan ürünlerini piyasa da yöneten, üretimini yapan firmalar ve sahipleri kimlerdir? Bunları tespit edersek bu ülkenin sağlık problemi ve ilaç sektörünün ne halde olduğunu anlamakta güçlük çekmeyeceğiz.

ATATÜRK ALKOLİK MİYDİ?

BEN DE SİZİN GİBİ İNSANIM

*"Atatürk, karşısında sevgi gösterisi yapan halka doğru,
kadehini kaldırarak şöyle konuştu:*

"Vatandaşlarım...

Buna Rakı derler. Vaktiyle padişahlar gizli içerlerdi.

*Ben açık içiyorum. Siz de benimle beraber içiyorsunuz,
karşılıklı içiyoruz.*

Hepimiz eşitiz.

Benim için rakı içer, şunu bunu yapar diyorlar.

Ben bunların hepsini yaparım.

*Hepsi doğrudur. Neticede unutmayın ki,
ben de sizin gibi insanım.*

Sizinkinden bir fazla değildir, yaptıklarım. "

Türkiye Cumhuriyeti'nin kurucusu, Ulu Önder Gazi
Mustafa Kemal Atatürk, vefatının hemen ardından, Cumhuriyeti yıkmaya yönelik eylimlerde bulunan kesimlerce
sürekli olarak ailesi, kendisi ve kurduğu Cumhuriyete direk
ve endirek saldırılarla manevi şahsiyeti Milletin gözünden
düşürülmeye, yıpratılmaya çalışılmaktadır. Bu önceden dış
destekli hazırlanmış tezgahlar ve eylimlere bir de maalesef
Atatürk'ten sonra kurulmuş Cumhuriyet Hükümetleri de
alet olmuşlardır.

Atatürk hakkında sorumlu olan kurum, kuruluş ve şahısların ortada duran yanlış bilgi ve belgelerin gerçek mahiyetini, Türk Milletine yeteri kadar anlatamamış, bize kala kala paramızda Atatürk resmi bir de ismi kalmıştır. Bunun suçlusu Atatürk değil, Atatürk'ü bir türlü içine sindirememiş sözde Atatürkçülerdir.

Bu sebepler göz önüne alındığında ülkede yıllardan beri sürdürülmeye çalışılan ve bir çok ailenin yıkımı olan ayrımcılık tetiklenmiş yeni fikir ve düşünce diye, ortalıklara atılan fitne ve fesatlarında, belirli merkezlerin kontrollü, sistemli yöntemler uygulayarak, satın aldıkları, gazeteci, yazar gibi sözde aydınların kendi amaçları için kullanılması ile milleti kamplara bölerek ülkedeki huzur ve güveni yıkmaya çalışmışlardır.

Elbette ki, Yüce Türk Milleti, kanının, canının karıştığı bu kutsal devletin düşmanlarına karşı derin sabrının ve hoşgörüsünün bittiğinde, zamanı geldiğinde gerekli cevabı en güzel şekilde layıkiyle verecektir.

Bizi bölmek ve parçalamak isteyenler şunu hiç bir zaman unutmamalıdır ki; Türk analarının bağrında yurt sevgisiyle donatılmış evlatlar bitmez, bitmeyecektir de.

Bugüne kadar Türk Milletinin gündemine getirilmemiş olan Atatürk'ün vefat raporunda (hepatite sclerocongestive ethyligue daha sonra da Ascitogene bir cirrhose), ölüm sebebi olarak gösterilen ve bugün ortada apaçık duran, bilimsellikten uzak paravan bir raporda Siroz hem de alkolik siroz olarak gösterilmeye çalışılan vefatı, diğer bir taraftan da aşağıda birlikte izleyeceğimiz olayların, iftiraların önünü açarak, Atatürk'ün ölüm nedenini alkole bağlamıştır.

Tabii bu durum, izah edilirken bir konunun altını çizmekte de fayda görmekteyim. Geniş kitlelere yıllarca bu konu sürekli olarak öylesine dikte ettirilmiştir ki insanlar, Atatürk'ün çok alkol alan ya da daha başka bir deyişle alkolik olduğunu o kadar kanıksamıştır ki, bugün aktarılan bu bilgiler karşısında şaşırması ve yadırgaması çok doğaldır.

Geçmiş dönemlerde ve günümüzde olayı tam olarak kavrayamamış ya da bu konuyu kasıtlı olarak işleyen yurt içinde ve dışında bir çok yazar ve araştırmacı, maalesef çok yanılgılara düşmüşlerdir.

Yine kendisine önce güven,saygı ve sevgi beslediğimiz ebedi liderimizin burada alkol almıyordu gibi bir anlam çıkarmak çok yanlış olaçaktır. Bu yanlış anlatımların asıl temeline bakmak gerektir.

Bunun en büyük mübessilleri, Atatürk'ün etrafını sımsıkı vaziyette sarmış olan Dalkavukların bizzat kendileridir. Atatürk hakkında çevreye yaydıkları asılsız bilgiler, ülkemizdeki aydınlar kadar ülkemizin dışındaki yazarların da yanlış bilgi edinmelerine ortam hazırlamıştır. İş o kadar ilginçtir ki bizzat Türkçü olan Atatürk, vefatından sonra Türkçülüğün önderliğini yapan yazar ve aydınlarca da eleştirilere uğramıştır. Bunlara örnek olarak Üstad Necip Fazıl Kısakürek ve Hüseyin Nihal Adsız'ı verebiliriz. Aşağıda verilecek olan örneklerde de vurgulanacağı üzere dönem yazarlarının ilerleyen zaman zarfında Atatürk hakkında yeteri kadar aydınlanamadıkları maalesef bir gerçektir. Bunlara karşın Atatürk'ün vefatının hemen ardından Cumhuriyet Gazetesi'nde bir makalesi yayınlayan Necip Fazıl Kısakürek'in nereden nereye dedirten sözlerine bakmakta fayda vardır diye düşünüyorum.

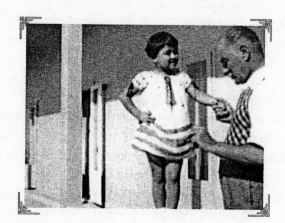

NECİP FAZIL VE ATATÜRK

Benim gözümde birbirine bağlı iki işin sahibi
olarak iki Atatürk var...
Zaman tasnifi ile bunlardan bir düşmanın
denize dökülüşüne, öbürü de bugüne kadar sürer.
Biri ölüm hükmü giydirilmiş bir milleti şahlandırdı.

Atatürk'ün vefatından sonra yurt içinde ve yurt dışında, hakkında binlerle ifade edebileceğimiz yazılar yayınlanmıştır. Her biri kendi içinde değerlendirilmesi gereken yazılardan biriside, Necip Fazıl Kısakürek'in, Cumhuriyet Gazetesi'nde, 16 Kasım 1938 tarihinde Atatürk'ün ölümünün ardından yazdığı yazıdır.

Yazar, Atatürk'ün vefatından dolayı ne hissettiğini şu şekilde dile getiriyor:

"Son on beş gündür her sabah yatağımızdan kalkıp Dolmabahçe Sarayı'nı yerinde bulduktan sonra ona varlık ve mana izafe eden (bağlayan) unsurun yok olduğuna inanabilmek, yaman bir idrak işkencesi; Atatürk'ten bir parça halinde kalan bir çok şey arasında onun yokluğu, merkezi olmayan bir daire tasviri gibi, içinden çıkılmaz bir muhal (olamazlık) hissi veriyor. Fındığın kabuğunu kırmadan içini yiyen korkunç bir sihirbaz edası ile ölüm, Atatürk'ü, hüviyeti etrafındaki büyük zarfa el değdirmeksizin aldı götürdü.

1- Atatürk'ün cenazesinin önünde geçit yapan yabancı askerler

2- Türk halkının Ata'nın vefatı üzerine ağıt resimleri

Ölüm, her insanda basit bir tezahur fark ile aynı marifeti tekrarlamasına rağmen bu son misalde bulduğu müeyyede kudretini, bütün tarih boyunca sık sık ele geçirebilmiş değildir. Yaratıcının bir defa bile şaşırmamaya memur sadık işçisi, bu misalde, kudretinin her zamanki mevzu ile mevzuunun bu defaki kudretini biraraya getirdi.

3- Atatürk'ün vefatına ağlayan insanlarımız

Mahalleden bir ölü çıktığı zaman o semt ister istemez kendisine bir alaka payı düştüğünü kabul eder. Ölümünün mücerred (soyut) sirayet ve ihtarı küçük bir mesafe yakınlığını bir nevi akrabalık haline getirirdi. Fakat ne de olsa ölen ne kadar ictimai ve herkese ait hüviyet taşırsa taşısın bu bağ, kan ve his yakınlıkları karşısında sadece yapma bir zihin telaşı uyandırmaktan ötürü bir acı duyurmaz.

Bütün dünyada Kralına, anası kadar yanacak kimse yoktur. Bu zalim ruh kanununa rağmen bu defaki ölüm, vatanın her evinden çıkmış kadar göze büyük göründü. Evinizdeki bir kahve fincanının çatlaması, bize yedikule surlarının çöküşünden daha tesirli geldiği halde bu defaki ölümü hepimiz, fi'li ve şahsi bir mülkiyet kaybı ifadesiyle duyduk. İctimai ölüler arasında her evin ölüsü olabilmiş kahramanlar, tek eldeki parmak sayısınından daha azdır.

Hiçbir Türk, kendini, devlet reisine, bütün dünyanın bu türlü bir saygı göstereceğini ümid edemezdi. Osmanlı İmparatorluğu'nun yarı dünyaya sahip olduğu devirlerde bile böyle bir ihtirama hedef olabilmiş hükümdar yoktur. Avrupa'nın, bize en yabancı milletlerine kadar heyetlerle, askeri kıt'alarla ve en büyük mümessillerle Ankara'ya koşmuş olması gösteriyor ki, Garp, Atatürk'ün şahsında Türk ehliyet ve kıymetine artık inanmıştır. Bu inandırışın büyük aksiyonunu yapan Milli Kahraman'ın ölüsü karşısında da hiç bir protokol kaidesinin olmadığı ve hiç bir garplının bir yabancıya göstermediği bir hürmetle şapkasını çıkartmaktadır.

Atatürk'ün gözleri ile görmediği bu manzarayı biz yalnız gözlerimizde bırakmayarak keskin bir delalet halinde şuurumuza sindirmekle mükellefiz.

O, Türk'e, hem Türk'ü hem de Avrupalı'yı inandırabildi. Tarihte büyük bedbinlerle büyük nikbinlerden ibaret iki sıra kahraman vardır. Herşeyi karanlık gören, aydınlığı aramaya doğru gizli bir cehde, aydınlık gören de öldürücü şartlar karşısında kırılmaz bir mukavemete gebedir.

Bence bu fikirlerin ikisi de, dava ve aksiyon doğuracak çapta olmak şartıyla, kurtarıcılara mahsus vasıflardandır. Bedbin kahraman bizi, vücudunu görmediğimiz bir hayata erdirmeğe, nikbin kahraman da vücudunu görmediğimiz ölüm tehlikesinden kaçırmaya memurdur.

Atatürk'ün ruhi maktalarından (Kesitlerinden) bence en alakalısı, O'nun yılmaz ve hezimet kabul etmez nikbinliğidir. Atatürk bu eşsiz nikbinliği, başta ve sonda, biri milletine ve öbürü şahsına ait iki büyük tezahürle vesikalandırdı.

Birinci vesika;

Bir millet için esaret ve mahkumiyet anının bir vakıa halinde teslim edildiği hengamede bu vakıaya inanmayan tek adam o idi. Bütün dünya ile birlikte milleti de kendi ölümüne inandığı vakit o inanmadı. Bu, Atatürk'ün millet ufkuna doğuşu ile başlayan ilk ve büyük nikbinliğinin tecellisidir.

İkinci vesika;

Milli kahraman, hasta döşeğinde günden güne fenalaşır-ken yakınlarından itibaren bütün Türk Milleti'ne kadar her-kes ağır bir ümidsizlik içinde boğuluyor; fakat kendisi bir çocuk gibi saffetli, ayağa kalkacağı, otomobiline veya motö-rüne bineceği dakikayı bekliyor, ölebileceğine biran bile mümkün gözü ile bakamıyordu. Bu da sonuncu tecelli.

*4- Atatürk'ün katafalkı önünde geçiş
yapan yabancı askerler*

Atatürk, başlangıçta Milleti'nin; sonunda da kendisinin ölümüne inanmadı. Bu iki nikbinlik tecellisinin birinde haklı, ötekinde haksız çıktı. Fakat koca bir millete hayat ve-silesi getirmiş bir kahramanın ferdi hayatı olamayacağı için onu ikinci tecellide haksız bulamayacağız.

Benim gözümde birbirine bağlı iki işin sahibi olarak iki Atatürk var.

Zaman tasnifi ile bunlardan biri, düşmanın denize dökü-lüşüne, öbürü de bugüne kadar sürer. Biri ölüm hükmü giy-dirilmiş bir milleti şahlandırdı. Mucize çapında bir barışla madde ve askerlik planında muzaffer kıldırdı. Öbürü, biran evvelki ölüm tehlikesini doğuran sebepler alemine karşı harekete geçti, fikir ve cemiyet planında yeni bir bünye inşasına girişti. Bu tarife göre birine asker, öbürüne inkılâpçı Atatürk demek, hatıra gelecektir. Atatürk'ün iki iş merhalesini temsil eden cepheleri arasında bence mefkureci ve hudutsuz şahsiyet asker Atatürk'dedir. Asker sıfatı da onu ifadeye kifayetsizdir. Zira bu merhalede askerlik O'nun sadece aletiydi. Bu merhalede O, en büyük asker olmak kıymetinin çok üstünde bir değer taşıdı. Koca bir milletin diriliş iradesini temsil eden mevkürevi insan olmak değeri. Bu değerle Atatürk, beşer tarihinde sayısı bir kaçı geçmeyen hakiki millet kurtarıcılarından bir tanesidir. Dehasının sırrı da ne askeri, ne Ictimai, ne de aklidir. Aksine laboratuvar ilimlerinin çerceveleyemediği ve aledelikler serisinin yanaşamadığı bir heyette ve tamamiyle ferdi ve insiyakidir. Zaten kahraman dediğimiz mechul yaratılış ve bünyenin bütün farikası, bu ferdi ve insiyaki cevherde değil midir? Yoksa her hangi bir ihtilalci başlangıçta Milleti, Atatürk gibi ayaklandırabilir, her hangi bir asker, kurtuluş mücadelesini Atatürk kadar iyi idare edebilir ve her hangi bir idareci, Atatürk'ün kurduğu teşekkülleri kurabilirdi. Fakat kimse, Samsun'a çıkışından, İzmir'e girişine kadar O'nun taşıdığı iş kıymet ve imanını taşıyamazdı. Çünkü bu kıymet ve iman, teknik, bilgi ve akıl işi değildir. Bütün bu melekelerin atalet ve felakete battığı dakikada hepsini birden yerinden fırlatacak bir ruhi adale işidir. Kahraman dediğimiz mechul yaratılış ve bünyenin herkesten farklı olarak sahip olduğu hususi ve harikulade unsur da, işte bu ruhi adaledir.

İnkılâpçı Atatürk'e bütün talih ve salahiyetini asker Atatürk hazırladı. Garip bir tesadüf cilvesi ile iki Atatürk'ten her biri ayrı isimler taşıyor. Mustafa Kemal ve Atatürk... İnkılâpçı Atatürk, tanzimattan beri Türk Cemiyeti'nin Avrupa medeniyet mahzumesine kavuşturulması yolunda girişilen yarım ve kısır teşebbüsleri tam ve yüzde yüz randımanlı hamleler haline getirdi.

Türk Cemiyeti'nin, Tanzimattan beri alev alev yanan kafası ve ruhu ile bir türlü kararını bulamadığı, hududunu çizemediği, mevcutlardan neyi verip, neyi veremeyeceğini, neyi alıp neyi alamayacağını kestiremediği medenileşme davasını, bütün Şark'ı, top yekün vermek ve yerine bütün Garp'ı top yekün almak şeklinde kökünden halletti. Onun bu cür'etli iradesinde de, taşıdığı ruhi adalenin bir ihtizazına (titreşimine) şahit oluyoruz. Tanzimat tabi seyrinde devam etseydi belki daha asırlarca, Atatürk'ün vardığı bu telakki ve cesaret merhalesine ulaştıramayacaktı. Filhakika bütün müesseseleriyle Türk Cemiyetine asılan garp, Türk toprakları üzerinde ve iktisadi, ilmi, içtimai sahalarda büyük muvaffakiyetlerle yemişini vermeğe başladı. Kurtuluş zaferini takip eden merhalede garp; kanun, şapka, harf, yol, fabrika, banka, mekteb, ordu, bütün aletleriyle vatana tatbik edilebilmiştir. Şu kadar ki yalnız müsbet bilgiler ve maddi aletler mahzumesi telakki eden ve ruhi planda garbında bizzat kendi kendisini araladığını bilen bir fikir adamı gözünde bu hareket, kıymet hükmünü saran bin bir çetin davaya karşı nihayet madde çerçevesinde büyük bir ıslahcılık hareketi olmaktan ileriye geçemez. Fikir, ahlak ve san'at cepheleriyle yepyeni, istiklali ve şahsi bir cemiyet binası işiyle de bir tutulamaz, ikinci merhalenin Atatürk'ü, ıslahcılık tarihimizin en büyük çehresidir. Fakat ilk merhalenin Atatürk'ü, aynı soydan hadiseler arasında, bütün beşer tarihinin en ulvi ifadesini taşıyaçaktır .

Atatürk'ün vefatından sonra yazılmış yazılar içinde belki de en iyilerden birisi de bu olsa gerek. Bu kadar güzel, Atatürk'e samimi duygular besleyen Üstad Necip Fazıl Kısakürek'in başında bulunduğu Büyük Doğu'da 1949-50 yılları arasında yayınlananlara baktığımızda dönemin İçişleri Bakanı olan Emin Erişilgil imzalı, İstanbul valiliğine yazılmış gizli ibareli T.C. İçişleri Bakanlığı Emniyet Genel Müdürlüğü Ş. l. 12282-500/61377, seyyarla 11/11/1949 yazısında Büyük Doğu'daki köşesinde cevap veren sözü geçen metni aynen vererek şunları söylüyor.

Vesika

T. C.
İçişleri Bakanlığı
Emniyet Genel Müdürlüğü
Ş. I. 12282-500/61377
Gizlidir

Seyyarla
11/11/949

İstanbul Valiliğine:

1 — Necip Fazıl Kısakürek'in İstanbulda neşrettiği Büyük Doğu dergisinin 3 sayılı nüshasında çıkan Fuhuş başlıklı yazı C. Savcılığınca ihbar mahiyetinde telâkki edildiğinden adı geçenin bu iddia ve ihbarını isbata dâvet edildiği anlaşılmaktadır.

Ancak bu dergide aynı zamanda 1941 senesi Nihal Atsız tarafından yazılan ve bastırılan (Dalkavuklar Gecesi) adlı kitaptan alınmış bir pasaj da neşredilmiştir. Bu kitabın yasak matbualardan olduğuna dair dosyasında bir bilgiye rastlanamamıştır. Bu cihetin ilinizce de tetkikiyle bahis konusu kitabın yasak matbualardan olup olmadığının tesbit edilerek bildirilmesini,

2 — Necip Fazıl, Dalkavuklar Gecesi'nden iktibas ettiği pasajı ayrı bir yazı ile açıklamak suretiyle aslında eski zamanlara ait hayali bir Türk masalı gibi gösterilen bu yazının büyük kurtarıcı Atatürk'ün zamanını tasvir eden hakiki bir vak'a olduğunu ihsas etmiştir. Müstehcen ve tecavüzkâr dil taşıyan bu yazı Atatürk'ün vefatı dolayısiyle takibata geçilmesi için varislerin ve adları geçen diğer şahısların kendilerinin şahsen dâva ikameleri icabetmekte ise de ayrıca bu yazıda 159 ncu maddeye veya diğer bir maddeye uygun suç unsurları bulunup bulunmadığının incelenmesi ve ifşa başlığı altında neşredilen yazılar hakkında C. Savcılığı ile temas edilerek neticeden bilgi verilmesini önemle rica ederim.

İçişleri Bakanı
Emin Erişirgil

Aslı gibidir.

5- İçişleri Bakanlığı'nın bu döneme ilişkin yazışma metni
(Bahsi gecen vesika)

"5- İçişleri Bakanı Emin Erişilğil'in belki öz kalemi ile yazıp Emniyet Genel Müdürlüğü siyasi şubesinden 12282-500/61377 numara ile ve 11/11/1949 tarihinde çıkarttığı,tepesine «gizli» dir diye en hassas bir dikkat koydurttuğu, posta idaresine de itimat etmeyip seyyar memurla gönderttiği emri aynen harfi harfine... okuyunuz (Yukarıdaki belgeden bahsediyor)

6- Bu emrin mahiyetine ait kıymet, hükmünü vicdanınıza terk ediyoruz.

7- Yalnız şu kadarını belirtmeden geçemeyecegiz ki,Türk adliyesinin kanundan başka tesir kabul etmeyen ve böylece Türklüğün şanını binbir vesileyle ila etmiş bulunan hakimleri huzuruna, en cüz'i alakamız olmadan duruşmanın mevkufen yapılmasını amir bir madde yoluyla sevk edilmemizi gizli kapaklı telkin etmek, ancak bu kadar olabilir.

8- Bunu yapan da hükümetin en hassas idari mekanizmasıdır.

9- Bereket ki, aynı hükümetin mücerret kanun planın dahi devlet şiarına ve adalet mekanizmasına itimadımız tamdır. Hayırlısı Allah'tan" demektedir.

Sözü geçen H. Nihal Atsız'ın, Büyük Doğu, Sayı; 3, 28 Ekim 1949, sf. 10'da yazıya ilişkin şöyle bir not da düşürülmüştür.

Atsız bundan 8 yıl önce (1941 yılında), miniçik bir kitap çıkardı. İsmi, "Dalkavuklar Gecesi"

"Güya Türklüğün ilk devirlerine ait bir masal ve mitolocya (Mitoloji) havası içinde hayali levhalar... Fakat hayalle hiç alakası olmayan bu levhalar, hakikatte, usturavi mazi ikliminin değil, bugüne bitişik yakın dünün, fert ve cemiyet halinde bütün bir ruh potresi idi ve kaskatı hakikatı, aşağı yukarı aynen geçmiş vakıaları dillendirmektedir. Daha ilk satırları okunur okunmaz bu hususiyeti anlaşılaçak olan kitap, 1941'de o zaman ki mevzulara göre her salahiyati nefsinde düğümlenmiş olan hükümet tarafından derhal toplatılmış, eser hakkında hudutsuz dedikodulardan başka orta da hiçbir iz kalmamıştır... Vaziyetimiz, resmen matbu ve münteşir, evvela toplatılmış ve bilahare serbest bırakılmasından mahzur görülmemiş bir eserden bazı parçaları iktibas etmekten ibarettir." denilmekte.

Burada bir yorum yapmaktan daha ziyade bir şeyi vurgulamakta fayda görüyorum. Atatürk'ün vefatından sonra ülkemizde Atatürk'e ait ne varsa zaman içerisinde kademeli olarak yok edilmektedir. İşte bunlardan biride kendisi ile bütünleşen ve Türk ulusuna Ergenokonda yol gösteren Bozkurt sembolüyle bütünleştirmek suretiyle Yeni kurulmuş olan Türk Cumhuriyetinin ve milletinin yol göstericisi olarak gösterilmesiydi.

6-Paralardaki resimler

Yaşadığı dönemde pullardu, paralarda (Resim 6), Lahey sürekli Adalet Divanında Atatürk'e hediye edilen Bozkurt heykeli (Resim 7), Kahramanmaraş kalesinde bulunan Bayraga sarılmış Bozkurt Heykeli (Resim 8) ve edebiyat içerisinde kitabların ismi ile anılmıştır (Resim 9 -10). Oysaki bugün bunlardan hiç birisi bulunmamaktadır. Yukarıdaki ve aşağıda verilecek örnekler bir dönemi aydınlatma, bazı vurguları dile getirme ve konuşulmamış tartışılmamış bazı mevzuları tekrar günümüze taşımak suretiyle henüz aydınlatılmamış konuları tekrar tartışmaya yöneliktir. Yoksa kişi ve görüşler bu konunun dışındadır. Çünkü Atatürk'ün cevresini sarmış olan Dalkavuklar ve bu dalkavukların komuta merkezlerinin verdiği talimatlar çerçevesinde Atatürk'ün topluma yanlış lanse edilmesi zaman zaman Atatürk'ünde sözlerinde gizlidir. Nitekim konumuz itibariyle de bu alkol meselesi ve Köşkte kurulan sofradır. Türk Irkcılık fikrinin fikir babası olan Hüseyin Nihal Atsız'ın "Dalkavuklar Gecesi" isimli kitabında 8. fasıl konu şu şekilde dile getirilmiştir.

*7-Lahey Sürekli Adalet Divanı'nda Atatürk'e
hediye edilen Bozkurt heykeli*

*8-Kahramanmaraş Kalesinde bulunan bayrağa sarılmış
Bozkurt Heykeli*

*Edebiyatta
kitabların ismi ile
anılmıştır 9 -10*

YAMZU KRALİÇE OLMAK İSTİYOR ! (8. FASIL)

"Kral Subbiluliyuma şaraba iyice dadanmıştı. Öğleye doğru uykudan kalkıyor, devlet işlerine şöyle böyle bir bakıyor, akşama doğru şarap masasının başına geçerek vezirleriyle birlikte içiyordu."

Dalkavuklar Gecesi kapak resmi

Atatürk'e benzeyen resim

Geceleyin hepsi sarhoş oluyorlar, arada sıra ve saygı kalktığı için uygunsuz hareketler yapıyorlardı.

Kral sarhoş olunca kendisini Tanrı kadar büyük ve üstün görmeye başlıyor, sofrasındakilere rütbeler bağışlıyordu. Ertesi gün ayıldığı zaman bu rütbeleri geriye aldığı da oluyordu. Fakat nihayet ayılmaz bir hale geldiğinden bu rütbeler sahiplerinde kalmıştır. Eski Vezirlerden şarap içmeyenlerin hepsini azletmiş, yerlerine yenilerini getirtmişti. İlanasam, Cüce İrdas, Rahip İduskam, Hekimbaşısı Ziza, ikinci Hekim Pilga hep vezir olmuşlardır. Yalnız Başkumandan Tutaşil Şarap içmemekte ısrar ediyordu. Bir gece kralın sofrasında bulunmuş, herkesin cıvıdığını görünce tiksinerek bundan vazgeçmişti. Kral onun bütün ülkede ne kadar çok sevildiğini bildiği için azledememişti. Ondan biraz çekinirdi. Fakat içten içe kin beslemiyor değildi.

Bir akşam yine içki masasına oturulmuştu. Artık devletin işleri de bura da konuşuluyordu. Zihinlere bir parlaklık geldiği için memleket daha iyi idare olunuyor, her bakımdan daha ileri gidiyordu. Kararlar cesaretle verebiliyor, büyük güçlükler kolaylıkla yeniliyordu.

O akşam yeni vezir Nidiba da şölende idi. Bir dağ köyünden getirttiği için pek kaba saba bir adamdı. Her söze dili dönmez, saray teşrifatını değil, alalede nezaket kaidelerini bile bilmezdi. Kral onun böyle olduğunu bildiği halde vezirliğe geçirmekten çekinmemişti. Çünkü kaç zamandır. Subiluliyuma'nın ahlakı değişmiş, devlet işlerini şahsi eğlencesine alet eder olmuştu. Bakalım bir öküz nasıl vezirlik edecek diye gülüyordu.

Şaraplar, içildikçe kafalar dönüyor, kahkahalar atılıyordu. Gece'nin bir yeniliği de Yamzu'nun orada bulunmasıydı. O da içiyor, arada zaman geçtikçe krala bazen güzel yemişler, güvercin yumurtaları, türlü türlü sütlerden yapılmış yoğurtlar, domuz kızartmaları, ballar vardı. Kralın yaverlerinden bir çoğu da bulunuyor, uşaklar hizmet ediyordu. Krala yaranmak isteyenler kendi elleriyle soydukları bir yemişi bıçağın ucuna saplayarak krala uzatıyorlar, kabulünü rica ediyorlardı. Hantal yapılı şişman ve pek obur olan Nidiba, uzun zaman yalnız işkembesini doldurmakla uğraştığı için krala karşı gösterilen bu özenin farkına varamamıştı. Nihayet başını kaldırdığı zaman bu nezaket hareketini görmüş, kendisi içinde bunun yapılması gerek bir vazife olduğunu anlamıştı. Masadan aldığı kızıl kabuklu iri bir elmayı soyarak bıçağa sapladı. Ötekileri taklit ederek krala sundu:

"Büyük kralım buyurun!"

Subbiluliyuma elmayı aldı. Fakat hareketlerinde şaşkın ve acemi olan Nidiba elini çekerken yanlışlıkla kralın önündeki yoğurt çanağını batırdı. Birbirlerinin bütün hareketlerini göz önünde bulundurup yanlışlıklarını bulmak isteyen vezirlerin hepsi bunu görmüşlerdi. Telaş ve teessüf göstererek muayyen birer hareket yaptılar. İlanasam daha ileri giderek

Nidiba'ya; "Vezir dikkat ediniz. Eliniz şanlı Kral hazretlerinin yoğurduna girdi." diye bir de ihtarda bulundu. Nidiba alık alık bakınırken kral gülümsedi ve "Zararı yok yoğurt cacık oldu" diye cevap verdi.

Kral eskiden çok ciddi idi. Kimse ile eğlenmezdi. Fakat bir zamandır. Yeni bir adet çıkarmış herkesle eğlenmeye başlamıştı. Vezirler buna ses çıkarmadıkca işi ileri götürecek nükte ve alayı harekete kadar vardırır olmuştu. Bu sefer de öyle oldu. Meclise derin bir sessizlik çöktü.

Yamzu herkesten daha az içmiş olduğu için meclisi idare etmek istiyordu. Krala gizlice bir şeyler söyledikten sonra kralın gülümsediği ve İlanasama bakarak

"Haydi bize bir türkü söyle de eğlenelim" dediği görüldü. İlanasam saygı ile ayağa kalkıp kralı selamladıktan sonra okumağa başladı;

"Şehvet denilen bağda bir akşam, ayılan kız,

Her gün yeni bir kalbi sokan ruhu, yılan kız!

Artık yeter, uğrunda akan göz yaşı dinsin!

Ey handesi bin ev yıkan, afet sayılan kız,

Kaçsan da, boğulsan da, gebersende benimsin

Dünyayı saran şerrine kan perdesi insin,

Şehvet denilen bahçede hergün bayılan kız!

Ya kaç buradan, bir mezarın altına girsin!

Yahut beni sarsan sonu yok kime esirsin!

Ey aşkı sefil, kendisi lakin tapılan kız!"

Türkü okunurken bir kaç tas şarap daha içen Kral'ın başı adam akıllı dönmeye başlamıştı.

İlanasama sordu:

"Bunu sen mi yazdın?"

"Evet kral hazretleri"

"Güzel yazmışsın, ya bestesini kim yaptı?"

"Onu da ben yaptım Kral hazretleri!"

"Aferin! Vezir olunca böyle olmalı. Şunu bir daha oku bakalım!..."

......

......

......

Kral her mısrada bir kaç yudum daha içiyor ve gözleri dönüyordu. Türkü bittiği zaman çoşkunluğu en yüksek dereceyi bulmuştu. Dayanamadı. Aşka gelerek elinde ki şarap tasını "Yaşa be vezir!" diye haykırarak ilanasamın başına fırlattı.

Bereket versin ki, Kral iyi nişanlayamamıştı. Yoksa tas isabet etseydi. Vezirin hali pek acıklı olacaktı. İlanasam tehlikeyi atlatmıştı. Fakat ötekilerini bir düşünce almıştı. Her türkü söyleyene bir tas atılırsa bunlardan bazılarının hedefi vurmaları ihtimali düşünülemeyecek gibi değildi. Nitekim kral şimdi de Ziza'ya türkü söylemesi için buyruk vermişti. O da uzaktan iyi göremeyen gözlerini kırpıştırarak okumaya başlamıştı.

....

Bu türküleri en büyük dikkatle dinleyen Yamzu idi. Çünkü gerek İlanasamın gerekse Ziza'nın türkülerinde kendisine karşı bir sevginin açığa vurulduğunu seziyordu. Fakat kralın gözdesi, tabii, kralın kölelerinin sevgisine tenezül edemezdi. O şimdi kafasında bir takım gizli planlar çiziyordu. Ziza ise göz kesilmiş, kendi kafasına inecek olan tası bekliyordu. Fakat bu sefer kral tası fırlatmadı. Yaverlerinden birine dönerek, "Üç bin şekel getirip mükafat olmak üzere Yamzu'ya verin!" dedi.

Türküyü başkaları söylediği halde mükafatı Yamzu'nun almasındaki yüksek hikmeti kimse anlayamamıştı. Bununla beraber bu hareketi tasvip etmekten geri kalmadılar. Yalnız Pilga bunu doğru bulmadı. Çünkü kardeşi Ziza mükafatı alsaydı belki kendisine de bir pay çıkardı. Kral onun yüzündeki gerintilerden Yamzu'nun aldığı mükafattan dolayı hoşnutsuzluk duyduğunu anlamıştı:

"Pilga" dedi, "Sen ne düşünüyorsun?"

"Kral hazretleri! Bu mükafatı yersiz buluyorum. Hazinede kalsa daha luzumlu bir işe sarf olunabilirdi. "

"Sen aptal herifin birisin! Burada işin yok! Çabuk defol buradan!"

Taslarla içki içilmişti. Herkes kendisini bir kahraman ve dev sanıyordu. Pilga kafa tutacak oldu.

"Kral hazretleri! Ben bir vezirim! Burası da devlet sofrasıdır oturmak hakkımdır!"

Kral ifrit kesilmişti; yaverlerine bağırdı:

"Çabuk şunu karga tulumba yapıp atın!"

Yaverler koşuştular. Pilga'yı dört yanından yakalayıp bir iki salladıktan sonar savuruverdiler. Vezir sarhoşlukla canının yandığını pek anlıyamıyordu. Kral ise öfkesini alamamıştı.

Buyruk verdi:

"Bunu bahçeye götürüp havuza elli defa daldırıp çıkarın sonra buraya getirin!

Yaverler Pilgayı sürüklerken Kral sofradakilere baktı; Sinmişler, kendi aralarında birşeyler konuşuyorlardı. Bu gizli konuşmalardan kralın kulağına yalnız bir "Tutaşil" kelimesi çalınmıştı. Subbiluliyuma gülerek sordu;

"Acaba Tutaşil görse buna ne derdi?"

İlanasam cevap verdi:

"Ne demeğe cesaret edebilirdi ki, Kral hazretleri?"

Cüce İrdas ilave etti.

"Geri düşünceli bir adamdır. Bu işleri anlayamaz..."

Rahip İduskam kovuculukta ötekilerden geri kalmak istemiyordu:

"Kral hazretlerinin yaptığını alkışlamamak tanrıların buyruğuna ve töreye aykırıdır."

Ziza da şöyle tamamladı:

"Hem şarap içmiyor..."

Tam bu sıra da bir yaver gelerek başkumandan Tutaşil'in kralı görmek istediğini bildirdi.

Emir çıktı:

"Gelsin!"

Başkumandan kralın karşısına geldigi zaman kral yeni

bir tas daha boşaltıyordu. Tutaşili tepeden tırnağa değin süzdükten sonra sert bir sesle:

"Bak senin için ne diyorlar" dedi.

"Neler diyorlar,Kral hazretleri?"

"Senin için geri düşünceli, yasaya aykırı iş görür diyorlar"

"Yalan söylüyorlar kral hazretleri! Yalnız vazifemle uğraşırım. Eğlenmem, kimsenin karısına göz koymam, ahlaksızlık etmem, Şarap içmem, bunun için beni çekemeyenler böyle söylüyorlardır. "

Kralın gözleri parladı.

"Aferin! Zaten böyle olduğunu biliyordum. Bende tıpkı senin gibiyimdir!" dedi ve ayağa kalkarak Tutaşilin alnından öptü. Sonra gidip istirahat etmesi için ona izin verdi. Fakat beri ki kımıldamadı.

Dedi ki:

"Kral hazretleri! Buraya mühim bir haber vermek için geldim. Kaska'lar sınırı aşmışlar, köylerimizi yağma edip hattileri öldürmeğe başlamışlar. Ne buyuruyorsunuz?"

Kralın sarhoşluğu geçer gibi olmuştu. Biran düşündükten sonra Tutaşile, "Her yerdeki subaylara haber gönder! Alaylarını alıp hızlı yürüyüşle buraya gelsinler, sende savaş arabalarımı hazırlat. Yarin beni gör. Savaş akçasını temin edersin"dedi.

Başkumandan gittikten sonra ilanasam tasını kaldırdı:

"Kral hazretlerinin kazanacağı büyük zafer şerefine!"

Bunu öbürleri takip etti. O kadar çok içildi ki, Vezirler birer birer sızdılar. Pek az içen Yamzu ile,şaraba en dayanıklı olan kral kaldı.

Yamzu ne kadar mümkünse o kadar çilve yaparak kralı gıçıklamak ve ondan kendisini kraliçe yapmak vadini koparmak istiyordu.

Subbiluliyuma diyor ki:

"Kraliçe olup ne yapacaksın? Benim seninle olan aşkımız yetmez mi? Bilirsin ki aşk maddi değildir. Biz birbirimizi sevdikten sonra krallığın, kraliçeliğin ne değeri kalır? Dile

benden; Cüce İrdasın derisini yüzüp sana çizme yaptıra-
yım. Yahut ilanasamın kaşlarını yoldurup halı ördüreyim.
İstersen Başhekim Ziza'yı bacağından ağaca astırıp altında
mızıka çaldırayım. Fakat kraliçe olunca bir takım merasime
tabi olursun. Her istediğin zaman yanıma gelemezsin. Bak,
şimdiki kraliçe beni ayda bir defa bile göremiyor..."

Bu sözler Yamzu'yu kandıramıyordu.

Diyordu ki:

"Sevgili Kralım! Ben senin uğruna herşeyi feda ederim.
Fakat senin bana sevginin bir nişanesini görmeliyim. Bu da
benimle evlenmendir. Şimdi herkes bana tuhaf bir gözle ba-
kıyor. Arkamdan dedikodu yaptıklarını duyuyorum. Krali-
çe olursam kimse bana yan bakamaz. Dün Asur elçisiyle gö-
rüştüm. Bana; "Şanlı kralınız pek zengin, pek güçlü ve
kahraman bir kral! Yalnız iki eksiğini gördüm" dedi.

Subbiluliyuma yerinden sıçrayarak sordu:

"Neymiş o eksikler?"

"Elçi dedi ki; Kralınızın arslanlarını, dövüş bogalarını, atla-
rını, doğanlarını, gördüm. O kadar zengin olduğu halde bun-
ları az buldum. Bizim kralımızda bunlardan daha çoktur."

Subbiluliyuma yine gülümsedi;

"Niçin, bizim kralımızın hayvanları azdır ama araların-
da insan gibi konuşanları vardır demedin?"

Yamzu bu sözlerden birşey anlamamıştı. Kral karşıda sı-
zıp yerlerde yatmakta olan vezirleri göstererek !

"Elçiye bunlardan bahsetseydin, kendi kralının hayvan-
larını benimkilerle mukayese edemezdi."

Bu söz o kadar hoşlarına gitti ki, kahkahalarla güldüler.
Gülmeleri bitince kral sordu;

"İkinci eksik neymiş?"

"İkinci eksiğin kral hazretleri için yamzu gibi bir inci ile
evlenmemesi olduğunu söyledi."

"Öyle mi? sen bir inci misin?"

Yamzu kıtarak cevap vermeye çalışırken dört yaver, ara-
larında Pilga olduğu halde içeriye girdiler. Onu elli defa şa-

ray bahçesindeki havuza daldırıp çıkardıklarını söylediler. Vezir'in üstü başı sırıl sıklamdı, üşümüş, titriyordu. Kral bir tas daha şarap içerek; "Vezir hazretleri! Benim soframdan kalkmıyanları ben işte böyle kaldırırım. Bu senin kulağında küpe olsun seni vezirlikten de azlediyorum!" dedi.

Zavallı Pilga yalnız azledilmekle kalmadı. Şarapla iyice kızıştıktan sonra serin gecede elli defa soğuk suya dalıp çıkmak yüzünden hastalandı. İki üç gün içinde ölüp gitti... denilmektedir.

Bu metinde geçen sözlerin aslında gerçek hayatlardan alındığını açıklayıcı bir metinde eklenmiştir. "ANAHTAR" başlığıyla "Dalkavuklar Gecesi'nin şahısları, meşhur kral Subuliluyuma ve Tutaşil müstesna olmak üzere, diğer bütün şahışların aynen veya tek harf farkıyla tersinden okunduklarında yahut aynı harfler içinde başka bir terkibe tabi tutuldukları zaman hemen belirirler, mesela PİLGA'yı ele alalım; Galip... Yani eski Maarif vekili Reşit Galip... Buna göre, Kah küçük ve ortanca ismi, kah soyadıyla belirtilen kahramanlarımızı teşhis edebilirsiniz; Kralla, Başkumandana gelince el malum..." denilmektedir.

Yukarıda her iki taraf tarafından verilmiş görüşler objektif olarak yine yorumu Yüce Türk Halkına bırakılarak verildi. Ama bura da bir kaç şey söylemeden geçmek istemiyorum. Aşağıda da verileçek olan bazı örneklerin bizi götüreceği ortak bir nokta olduğunu ve her nedense bazı mevzuları yazarken ve konu haline getirip konuşurken, sadece Atatürk ile sınırlı olmayıp tüm insanlarla ilgili ortak payda da eleştirilerimizi gerekli araştırmaları yapmadan, kendi çıkar ve görüşlerimize göre yapmak suretiyle sonradan düzeltilmesi zor sonuçlara neden olmaktadır. İşte Atatürk'te gerekli araştırmalar yapılmadan kulaktan dolma ya da yarım bilgilerle donatıldığımızda sonuçta yanlış bilgiler silsilesi üstüste konularak gerçek doğrunun ne olduğu şüphesini ortaya atmaktadır. Bu da Yüce Türk Milleti'nin ve onun önderi ve yol göstericisi olan Atatürk'ün, gerek ülkemizde, gerekse de yurt dışındaki imajını bozmaya yönelik eylimlerin önünü açmaktadır. Bunlara kesinlikle izin veremeyiz.

KAHRAMANLAR GECESİ (10. FASIL)

Sofrada konuşulan şey daima kralın açtığı mevzu olurdu. Şimdi felsefi bir mevzu üzerinde idiler ve filozof ilenasam ile konuşuyorlardı. Kral bir tas daha içtikten sonra dedi ki;

"Filozof! çokluk ile azlık aslında birdir. Onu çok veya az diye ayıran bizim kuruntumuzdur. Mesela bir tas şarapla on tas şarabın farkı yoktur. Nitekim bazan on tas şarap bir tas şarabın tesirini yapamaz Bazende bir tas şarap bir adamı sarhoş eder. Neden böyle oluyor? Çünkü içimizdeki kuruntu bize çok içtiğimizi söylerse on tas içtiğimiz zaman bile bile dipdiriyizdir. Doğru değil mi ne dersin?"

İlanasam çok kurnaz olduğu için birden bire kralın düşüncesini kabul etmedi. Çünkü kralın dakikası dakikasına uymazdı. Şimdi iddia ettiği bir şeyin biraz sonra aksini iddia eder ve ilk iddiada kendi fikrine iştirak edenler ikinci iddia da iştirak ederse kızıp tahkir ederdi. Onun için bir pundunu bulmalı, ortalama gitmeliydi. Kalın kaşlarının altından o mel'un bir bakışla bakan gözlerini yere dikerek cevap verdi;

"Kral hazretleri! esas itibariyle azlıkla çokluk birdir. Buyurduğunuz gibi bir tas şarapla on tas şarabın farkı yoktur. Yalnız bazı hallerde azlıkla çokluğun farkları vardır. Sanırım."

"Ne gibi?"

"Mesala çokluğun yüksek bir derecesi olan yokluk, yani sıfır arasında bir fark bulunması icap eder. Çünkü bir tas şarap içen bir adam ne de olsa bundan biraz müteessir olur. Sıfır tas şarap içen bir adamsa mütessir olmaz. Çünkü şarap içmemiştir."

Bütün vezirler bu şahane cevabı begenmişlerdi. Hele yeni Başkumandan ırkdaşı olan ilenasam'ın sözlerinden övünç bile duyuyordu. Kral da bu sözlerden hoşlanmış gibi görünüyordu. Bir saksağan yumurtası yedikten sonra vezirine pek felsefi bir sual sordu;

"Peki o halde sıfır nedir?"

"Mesela! Sizin karşınızda ben!... "

Bu o kadar parlak bir cevaptı ki, cüce İrdas kıskançlığından çatlayaçaktı. Hekim Ziza böyle bir cevap vermiş olabilmek için Hattoşaş sokaklarında bir ay köpek gibi ulumağa razıydı. Yalnız Nidiba bu sözlerdeki ince kavrayamamıştı. Kavrayacak halda de değildi. Çünkü içtikce iştahı açılıyor, yedikcede şarap içesi geliyordu.

Aradan epey zaman geçtiği halde kral birşey söylememişti. Adeti böyleydi. Beğendiğini belli etmemeğe çalışırdı. Ancak, bir müddet sonra yaverlerinden birine dönerek buyruk verdi;

"Halk İlanasam şerefine içsin!"

Yaver, bahçeye çıkıp bakır yuvarlak üzerine tokmakla vurarak halkı uyandırmağa çalıştı. Çoğu sızmıştı, bir kısmının kımıldayacak hali yoktu. Ona rağmen bağırdı;

"Ey hattiler! Kralınız buyurdu; Kahraman İlanasam şerefine içeçeksiniz. "

Henüz ayakta olanlar arasında bir alkıştır koptu...

"Yaşasın kral, Yaşasın İlanasam" diye bağırarak şarapları içtiler.

Şimdi tören odasında başka bir konuşma mevzu açılmıştı. Tarihten bahsolunuyordu. Kral çok mütevaziydi. Kendi büyüklüğünden hiç bahsetmiyordu. Eski krallar arasında en çok Flebernas ile Murşil'i beğeniyor, fakat Murşil'i daha üstün tutuyordu.

Diyordu ki;

"Eski, yeni bütün kralların hayatını okudum, Mursil büyük kralların en büyüğü ve sonuncusudur. Ondan sonra ona eşit bir kral gelmemiştir."

Rahip İduskam o yapmacık heyecanı ile ayağa kalktı;

"Ne diyorsunuz, Kral hazretleri? Böyle bir şey hiç olur mu? Kral Mursil hiç şüphesiz çok büyük bir kraldır. Onun gibi bir kral ya bir ya iki tane daha vardır. Fakat günümüzde muhakkak ki Mürsil'den büyük, hem çok büyük, hem de pek çok büyük bir kral vardır."

Bu sözler cüce İrdas'ı neredeyse öldürecekti. Herkes öyle güzel söylediği halde o daha bir şey söyleyememişti. Heyecanla yutkunup duruken Nidiba'nın haykırışı duyuldu. Nidiba deminden beri her nedense doymuş ve epeyce de şarhoş olmuştu. Rahip İduskam'ın krala aykırı bir düşünce yürüttüğünü görünce krala yaranmanın tam zamanı geldiğine hükmetmiş ve atılmıştı. Adeta öfke ile İduskam'a bağırıyordu;

"Sen sus! Kral hazretlerinden daha mı iyi bileçeksin? Madem ki o Mürşilden büyük Kral gelmemiştir. Ne diye direnip günümüzde büyük bir kral vardır diyip duruyorsun?"

Nidiba'nın çam devirmesine herkes alışık olduğu halde bu sefer ki tevil götürür gibi değildi. Cüce İrdas, Nidiba'ya hucum ederek "Nasıl bir dalkavukluk yapabilirim?" diye düşünüyordu. Kralın sözleri onu durdurdu. Çünkü Kral gülerek mıraldanıyor;

"İnsanlar hakkında niyetlerine göre hüküm vermek doğru olur. " diyordu. Artık kimse söz söylemiyor, yalnız şarap içiliyordu. Tan yeri ağarmak üzereydi. İçki beyinlere tesir ettikçe hareketler, bakışlar sözler şuursuzlaşıyor, boş yere gülümsemeler, manasız yere öfkelenmeler birbiri ardınca herkesi okşayıp geçiyordu. Kral delilik hezeyanı halinde idi. Deha ile çılgınlık arasındaki bir nokta da bulunuyordu. Göğsüne düşmüş olan başını birden bire kaldırdı. Ufuklardaki düşman ordularına bakan kahramanlar gibi ilerisini süzdükten sonra iki elini birden boynu hizasına kaldırdı. Sol eli ilerideydi. Sağ elini omuzuna kadar çekerek ok atma taklidi yaptıktan sonra ağzının içine bakan vezirlerine doğru; "Bir ok attım!... Kebap oldu" dedi. Vezirler bakışarak bu büyük hikmeti; bu görülmemiş vecizeyi tasvip yollu baş salladı. Pek beğenmişler. Fakat anlıyamamışlardı. Ok'un kebap olmasındaki yüksek hikmet her kulca anlaşılır nesnelerden değildi. Bu muammayı çözmek şerefi Cüce İrdas'a nasip oldu; "Kral hazretleri, edebi sanatların en incesini yaparak cihana ve insanlığa parlak bir ufuk daha açmışlardır." dedi. Çünkü atılan ok bir geyik yavrusunu vurup kayaya saplanırsa. Bu kaya çakmak taşından yapıldığı için ateş alırsa, geyik'te ok'la delinmiş olduğu halde ok'un hızından dolayı kırk elli defa dönerse hiç şüphesiz kebap olur. Hem de kebapçıların en tatlısı..." denilmekteydi.

Bu sözler, H. Nihal Atsız'ın, Dalkavuklar Gecesi isimli eserinden, Hasan Ali Yücel'in nasıl mebus olduğunu gösteren bir örnek olarak verilmiştir." denilmekte.

Uzun yıllar sonra değil daha dün yazılmış gibi taze ve canlılığını koruyan bu metinlerden çıkartılması gerekli sonuçlar mutlaka belli kesimlerce kendi görüş ve düşünceleri çerçevesinde çıkarılıp eleştirileçektir. Bu gayet ve doğal bir olaydır. Kişileri eleştirmeden önce vicdan aynasında kendi vicdanımızı düzeltmeliyiz. Atatürk'ün alkol ile olan macerası sadece Köşkte kurulan sofra yada alenen içtiği içki ile sınırlı değildir. Onun vefatına sebep olarak da alkol gösterilir.

ATATÜRK'ÜN HASTALIĞINA GENEL BİR BAKIŞ

Mustafa Kemal Atatürk'ün vefatını iki şekilde incelememiz gerekmektedir. Bundan önce elimizde ki önemli ilaçların alındığı tarihi bir olayın aydınlanmasında büyük katkısı olan İstanbul Eczanesi'nden Atatürk için alınan ilaç dokümanları "Agoni"de olduğu gibi verildi. Bu dökümanların gerçekliği verilen ilaçların tarihlerini ve ödenen faturaları bize açıkça gösterilmektedir. Bu faturaları ödenmiş olan dokümanların parası anlaşıldığı kadarıyla bizzat Atatürk'ün hesabından ödenmiştir. Bu belgenin doğruluğunu kanıtlayan en önemli maddelerden birisi de ödemelerin fatura karşılığı yapılmış olmasıdır. Buna göre; ödenen fatura tarihleri şöyle:

1. 29. 03. 1937 / 15791- faturanın verildiği tarih- 30. 03. 1937
2. 29. 04. 1937 / 7484- faturanın verildiği tarih-05. 05. 1937
3. 26. 051937- fatura veriş tarihi-no: 5620
4. 27. 10. 1937 / 19818- faturanın verildiği tarih-10. 11. 1937
5. 16. 12. 1938- faturanın verildiği tarih / no: 18447
6. 31. 12. 1937 / 7733- faturanın verildiği tarih-04. 01. 1938
7. 01. 02. 1938 / - faturanın verildiği tarih-04. 03. 1938
8. 04. 03. 1938 - faturanın veriliş tarihi-no: 4930
9. 30. 04. 1938 / 15570- faturanın verildiği tarih-07. 05. 1938
10. 28. 05. 1938 / 13095- faturanın veriliş tarihi-04. 06. 1938
11. 31. 08. 1938- faturanın veriliş tarihi-no: 4040
12. 01. 12. 1938- faturanın teslim tarihi-no: 1730

Bu liste içinde bahsi geçen ilaçlar ve diğer ürünlerin (yoğunlukla alınan) adetlerine bakacak olursak;

GRİPİN; 38 tüp, DİŞ ÜRÜNLERİ; Diş fırçası, Diş macunu, Diş tuzu, TAKALON KREM, RADYOLİN, TIRNAK CİLASI, PETROL NİZAM, KİNİN; 44 , PERTEV KREM, PİRAMİDON.

Konunun iyi anlaşılması için ilk önce Atatürk'ün geçirdiği hastalıklarına bir göz atmak gerekiyor. Çünkü yapılan yanlışlardan birisi Atatürk'ün vefat sebebinin hastalık sonucu olduğu yönündedir. Aksine aşağıda anlatılacağı üzere,temelde iki hastalığı bulunan Atatürk'ün (Sıtma ve Böbrek iltihabı) zehirlenerek öldürüldüğü dile getirilmek istenmemektedir.

Atatürk çocukluk yıllarında bu dönemin hastalıklarından biri olan sıtma hastalığına yakalandığını biliyoruz. Daha sonra ki yıllarda bu hastalığın sürekli olarak onu etkilediğini göreceğiz. Öyle ki sıtmaya neden olan sivri sineklerin yaşadığı bataklıkları kurutarak buraları imar etmiştir.

Buna en güzel örnekte Atatürk Orman Çifliği'dir.

Daha sonra gençlik yıllarında Belsoğukluğu hastalığı sıklıkla devam etmiştir. Bu hastalık sonra böbreklerinde iltihap oluşmasına neden olacaktır ki bu iki hastalık Atatürk'ün vefatına kadar sürmüştür.

1918 yıllarında böbrek ağrıları tekrar başlamış ve hekimlerin tavsiyesi ile Viyana ve Karlsbad kaplıcalarına tedaviye gitmiştir.

1919 tarihinde Samsun'a ayak basar basmaz böbrek ağrılarını dindirmek için Havza'ya giderek, 25 Mayıs ve 12 Haziran tarihlerinde bulunmuş bu arada diğer hastalığı olan sıtmaya yakalanmıştır.

1923 tarihine geldiğimizde ufak tefek, aşırı yorgunluğa bağlı olarak kalp krizleri geçirmiştir.

Bu hastalıkların dışında başka rahatsızlıklarla da karşılaşan Atatürk'ün dişleriyle de sorunu vardır. Dişçisi ise 2. Abdulhamit'in de dişlerinin tedavisinde sorumlu olan Musevi asıllı Pratisyen Dişçi Sami Günzberg'di.

Atatürk'ün artık son günlerine ilişkin Kılıç Ali'nin ("son günleri" adlı kitabında) aşağıdaki sözleri dikkate değerdir.

"Bilhassa bu son iki sene içinde... Gün geçtikçe halsizlikleri daha ziyadeleşiyor, benzi geçen senelere nispetle daha ziyade soluyordu... Atatürk'ün renginde ve yüzündeki çizgilerde belirgin değişiklikler başlamıştı. Yürümeyi sevmez olmuştu. O iştahlı adamın artık iştahı hemen hiç yok gibi idi"

Bu döneme ilişkin fotoğraflara baktığımızda da bunu görmek mümkündür. Bu fotoğraflara ilişkin ilginç ve acınacak bir durumu da vurgulamak gerekiyor.

Atatürk'ün özel fotoğrafçısı olan Hasan Efendi'nin, Atatürk'ün ölümünün üzerinden üç, dört yıl geçtikten sonra evi yanmış ve Atatürk'ün çekilen fotoğrafları evle birlikte yanmıştır. Yine, 5 Eylül 1973 tarihinde İstanbul Film Arşivi'nin deposunda çıkan yangın sonunda Atatürk'ün tek fotoğrafları yanmıştır.

Fotoğraflara baktığımızda Atatürk'te ciddi denecek derecede değişimlerin gerçekleştiği ve cildindeki bozulmaların sonucunda bakım ürünleri kullandığını görmekteyiz. Yukarıda ismi geçen kremler (TAKALON KREM, PETROL NİZAM, PERTEV KREM) bu amaç için alınmıştır. Yine bu liste içinde alınan ürünlerin durumun ciddiyetini ortaya koymaya yetmektedir.

Durumun ciddiyetine dikkat çeken Dr. A. Arar "1936 sonlarında Atatürk'ün genel durumunda bir düşkünlük, halsizlik başlamışsa da, sağlığında ciddi bir şikayeti yoktur." demektedir.

Yukarıdaki bilgilerden de anlayacağımız gibi Atatürk'ün temelde iki rahatsızlığı vardı. Bunlarda yaşadığı dönemde varlığı tüm insanları etkileyen, böbrek rahatsızlığı ve sıtmadır.

Atatürk'ün vefatı ise tedavisinde kullanılan ilaçlar, yanlış tedavi yöntemleri ve bunlara bağlı olarak da suikast olduğunun belgelerini ortaya koymaya yeterde artar zannedersem. Bunun için tedavisi için yapılan konsültasyonlara bakmak gerektir.

1937 senesinde Atatürk vücudunun muhtelif yerlerindeki, bilhassa ayaklarındaki kaşıntıdan dolayı şikayetçiydi. Ankara Numune Hastanesi Deri Hastalıkları Uzmanı, İtalyan asıllı ünlü Alman doktoru Prof. Dr. Marcchionini (1899-1965) tarafından tedavi edilmiş. Fakat sonuç alamayınca Bursa Yalavo Kaplıcalarında bir kür önermiştir. İşte bu sebepten dolayı Atatürk 1938 Ocak ayında Yalova ya gelecektir.

Atatürk'ün hastalığına bir türlü teşhis konulamazken en sonunda kaşıntılara karşı tedavi olmak için gittiği Bursa Yalova Termal Kaplıcalarında buranın doktoru ve Müdürü olan, Dr. Nihat Reşat Belger tarafından Atatürk'ün hastalığına dair ilk teşhis konulmuştur. Buna göre; Atatürk'ün hastalığı karaciğer büyümesi ve sertleşmesidir. Yani Siroz'dur. Bu teşhis daha sonra buraya çağrılan daimi doktoru, Neşet İrdelp tarafından da kabul edilir. O kadar ilginçtir ki , uzun yıllardır tedavisini yapan, Dr. Neşet Bey bunu daha önceden fark edememiş olmasıdır. Bu teşhisin ardından, Atatürk'ün tedavisi için Ankara da bulunan, Prof. Dr. Akil Muhtar Özden şehsuvaroğluna verdiği notlar da konuya ilişkin şunları söylüyor:

"Karaciğer rahatsızlığının ilk arazı 1938 ocak ayı sonlarında... Dr. Neşet Ömer Bey, Dr. Nihat Reşat Belger Bey Karaciğerin büyümüş olduğunu görmüşler. İçkiden men etmek istemişler. Atatürk hoşlanmamış. O zaman 75 kiloymuş... Evvelce Atatürk hemen her akşam 1/2-1 litre arasında rakı içerdi."

27 Şubat 1938 akşamı Balkan İttifakı Hariciye Nazırları şerefine Çankaya Hariciye Köşkü'nde verilen yemeğe Atatürk'ün Burnunun şiddetli şekilde kanaması üzerine toplantıya geç kalması üzerine dönemin yetkililerinin harekete geçmesine neden olmuştu.

Atatürk tedavisi için yabancı doktor istememişti. Bunun üzerine, Sağlık ve Sosyal Yardım Bakanlığı'nca 6 Mart 1938 tarihinde çağrılan Konsültasyon heyetinde; Neşet Ömer, Reşat Belger, Akil Muhtar, Hüsamettin Kural, Z. Naki Yaltırım ile Asım Arar vardı. Bu konsültasyonda bulunanlardan biri olan Akil Muhtar, Atatürk'ün vücudundaki kaşıntılar hakkında bilgi verdikten sonra şöyle dedi:

"Muayenemde büyük bir karaciğer buldum. Tahal (dalak) da kaburga alt kenarını iki parmak tecavüz ediyordu. (geçiyordu)

Karaciğerin yüzeyi düzgün idi. Karın yumuşaktı. Karında yüzeysel damarlarda şişkinlik yoktu Hiç bir ascite (asitkarında su toplanması) arazı bulunmadı. Rengi bozulmuş, kuvveti azalmış idi. Etrafta (Kollarda ve bacaklarda) Özima, (Ödem - su toplantısı) yoktu."

Akil Muhtar Özden önemli bir konuya da burada dikkat çekmektedir, o da Atatürk'ün karnında su yani asit oluşumudur.

Karında toplanan su bu hastalığın sonlarında görülen tehlikeli bir belirtidir. Kan dolaşımı ve teneffüs zorluğu verdiği gibi vücuttan alınması halinde sağlığa gerekli proteinlerin kaybına da yol açacağı için ayrıca tehlikelidir.

Muhtar sözlerine devam etti: "Gözlerde hafif bir sarılık gördüm. Atatürk, evvelce Malarya (Sıtma) çektiğini söyledi. Altı sene evvel tekrarlamış. (1932 yılı) Reelelerini muayene ederken, Atatürk sağ ree kaidesinde (tabanında) daima bir gayri tabilik olduğunu ve bunun muhaberede kırılan bir dili (kaburganın) tesiriyle baki kaldığını anlattı.

Köşkün kütüphanesine gittik. Başvekilin, huzuru ile tıbbi istişare (Konsültasyon) yapıldı. Hastalığının bir Hepatite (Karaciğer iltihabı) olduğunu ve bunun en mühim sebeplerinin alkol olduğundan şüphe edilemeyeceğini hepimiz kabul ettik.

Az etli münasip bir perhiz tespit edildi. İlaç olarak da lazım gelen tertipler yapıldı. Bunları bir rapor şeklinde tespit ettik."

DR. ASIM ARAR RAPORU OKUDU

...

Atatürk alkolün tesirini kabul etmek istemiyordu.

"Ben alkolü çok eskiden beri kullanıyorum, bir şey olmadı. Şimdiki hastalığıma başka bir sebep aramanız lazımdır." dediler.

Akil Muhtar gerekli izahatları yaptıktan sonra Atatürk, "Peki" diyerek doktorları uğurlamıştır.

Atatürk bu görüşmenin ardından, yaklaşık olarak 9 ay süre ile bir daha ağzına içki koymadığını A. Arar nakletmektedir.

Görüldüğü gibi Atatürk'ün Tıbbı hikayesinde çelişkiler bir yumak haline gelmiş durumdadır. Bu çelişkilerden biride karnındaki asidin oluş tarihidir.

Atatürk'ün hizmetinde bulunan Granda, Akil Muhtar'ın verdiği bilgilerle çelişki oluşturan şu sözleri dile getirmektedir.

... Doktorların muayenesinden sonra, ayak bileklerinde ödem olduğu ve karaciğerin büyüdüğü tespit edilmiştir.

Yukarıda vücuttaki asit oluşumuna ilişkin farklı iki görüş oluşmaktadır. Atatürk'ün İstanbul Eczanesi'nden alınanların listesinin tamamını verdiğimiz ve bu serinin ilk kitabı olan "Agoni" de ayrıntıları mevcut olan bilgiler gözden geçirildiğinde Granda'nın sözlerinin doğruya daha yakın olduğunu görebiliyoruz. Çünkü bu ilaç listesinde şunlar bulunmaktadır:

Bitki ve Baharatlar

04. 11. 1937	KAKAO	
13. 01. 1937	IHLAMUR 500 GR.	100 LİRA
05. 11. 1937	BADEMYAĞI	50 LİRA
05. 11. 1937	TARÇIN	25 LİRA
01. 12. 1937	BADEMYAĞI	50 LİRA
03. 01. 1938	KETEN TOHUMU 1 KG.	75 LİRA
03. 01. 1938	HARDAL 1 KG.	80 LİRA
21. 02. 1938	KETEN TOHUMU	40 LİRA
21. 02. 1938	PAPATYA	20 LİRA
13. 03. 1938	BADEMYAĞI	80 LİRA
24. 03. 1938	BADEMYAĞI	40 LİRA
19. 05. 1938	YULAF HASAN 2 KUTU	50 LİRA

Yukarıda alınan baharat ve bitkilerin kullanım ve etkilerine bakarsak doğal bir diüretik olduğunu göreceğiz.

Bademyağı; bol idrar söktürür. İdrar yolları rahatsızlıkları için kullanılır...

Hardal; böbrekleri çalıştırıp idrar söktürür. Vücuttaki fazla suyu atar. Lapa şeklinde kullanmak için 1 kısım Hardal 4 kısım keten tohumuyla birlikte kullanılır. Ihlamur; Böbrekleri çalıştırarak onları temizler. Böbrek ve mesaneyi temizler. Papatya; Karaciğer ve dalak şişmesini giderir. Safra miktarını artırır.

Yukarıda verilen bu bitki ve baharatların birbiriyle karışımları yada kendi başlarına kullanımları halinde doğal diüretik tesirleri olduğu görülmekte.

Şimdi bu bilgiler ışığında tekrar başa dönecek olursak Atatürk'ün karnında ve vücudunda asit oluşumundaki çelişki bariz bir şekilde ortadadır. Oysa ki yazılan kitapların neredeyse tamamında bu asit oluş tarihi Atatürk'ün 1938 yılının, 29 Mayıs ve Haziran başı karnında asit oluştuğunu yazmaktadır.

Granda bugünlere ilişkin verdigi bilgilerde şunları söylüyor:

"1 Haziran'da İstanbul'a geldik. (Kendisi Savarona yatı ile birlikte geliyor) Atatürk Acar motoruyla yata geldi. Fakat daha ilk bakışta hasta olduğunu sezdim. Yüzü solmuş, incelmiş, karnı şişmişti..."

"Çehresi soluk, hali üzüntü vericiydi. Boynu ve ensesi çok incelmiş, kansız kulakları şeffaf bir renk almıştı."

Yukarıda asit oluşumu konusunda çelişkiye düşen Akil Muhtar bu tarihteki asit oluşumunda hem fikirdir.

"Atatürk'ün İstanbul'a geldiklerini öğrendik. O zaman asit (Karında su) meydana gelmiş ve etraf-ı süfliye (Alt taraf, Bacaklar) de ödemler teşekkül etmiştir."

Atatürk geçirdiği ağır bir rahatsızlık sonunda (Savarona yatına gelen ülkü ile birlikte birkaç dondurma yemiş ve bu yüzden ateşi yükselmiştir.) tekrar doktorlar bir konsültasyonda bulunurlar. Burada; Sihhıye vekili Dr. Hulusi Alataş,Sıhhiye Müsteşarı, Dr. İ. Asım Arar, Süreyya Hidayet Sertel, S. Marmaralı, M. Kamil Berk, N. Reşat Belger ve N. Ömer İrdelp'tir. Prof. Dr. Neş'et Ömer; Asitin çoğalmasından, ödemlerden, Bağırsakların bozukluğundan bahseder. Bununla birlikte Fissinger'in Afyon mürekkeplerini ve şibih kalevilerin (alkaloidlerin) verilmesini ve civalı müdrirler kullanılmamasını söylemiş olduğunu ileri sürerek, Neş'et Ömer Bey, etkili çarelere başvurulmasını istemiyordu. Kalbin kuvvetli olduğunu ileri sürerek de Kardiyotonikler (kalbi güçlendirecek ilaçlar) kullanılması aleyhindeydi.

Bu konsültasyonun sonuçları şöyle:

1- Ateşten beri halin fenalaştığını ve arada sırada tereffü-ü hararet (Ateş yükselmesi) var.

2- Asitin fazla bir miktara çıktı.

3- Reelerde 13 Temmuzdan beri congestion (kan toplanması) var.

4- İdrarda Albümin yok.

5- Günlük idrar miktarı 600 cc kadardır.

6- Urobilin bulunuyor.

7- Urobilinojen var.

8- Şeker yok.

Bu sonuçlar çıktıktan sonra, doktorlar kendi aralarında; asiti almaktan, Civali mürekkepler kullanılmasından, sıtma ihtimalinden, Bağırsakların düzeltilmesi gibi konuları kendi aralarında da tartışırlar. Bu münakaşalara birde yurt dışından gelecek olan doktorlarda eklenir. Akil Muhtar devamla, "O zaman öğrendik ki Almanya'dan Prof. Bergman ve Viyana'dan Eppinger çağrılmış..." Gelecek olan doktorların da fikri alındıktan sonra, Civalı müdrir ve Poncetion'a (Ponksiyon, kalın bir iğne ile karın duvarını delerek biriken suyu akıtmak) kararı verilecekti.

3 Ağustos 1938 tarihinde yapılan bu konsültasyon Atatürk'ün hastalıkları ve kendisine karşı uygulanan yöntemlerinin tümünün ortaya çıktığı çok önemli sonuçları içinde bulunduran konsültasyondur.

Atatürk'ün tedavisinde doktorlar tekrar bir araya gelirler. Daha önce geleceği belirtilen doktorlarda bu konsültasyonda hazır bulunmuşlardı. Daha önceden bu konsültasyona katılacağı belli olan Viyana'dan gelecek olan Eppinger 31. 07. 1938 tarihinde köşke gelmiş ve gelir gelmez hemen Atatürk'ü 3 Ağustos'ta konsültasyonun yapılacağını bilmesine rağmen muayene etmiş ve muayene sonunda Em' ada ki bozukluğa karşı çiğ yemiş kürü tertip etmiş, bol bol kavun, karpuz yedirmiş bunun neticesinde ise ağrılar ve ishal olmuştur. Bunun ardından 01. 08. 1938 tarihinde Bergman gelmiş o da Eppinger gibi hemen Atatürk'ü muayene etmiş ve tedavi için yalnız elma rejimini koymuştur.

03. 081938 tarihinde yapılan konsültasyonda bulunanlar;

1- Bergman 2- Eppinger 3- S. H. Sertel 4- N. Ö. İrdelp

5- N. Reşat Belger 6- S. A. Marmarali

7- M. K. Öke 8- M. K. Berk 9- Celal Bayar 10- Kılıç Ali 'dir.

Bu konsültasyon sonunda ortaya çıkartılan raporlarda dikkat çekici hususlar husule gelmiştir. Bunlardan birisi ve bugüne kadar hiç tartışılmamış olması bile ayrı bir önem taşıyan ve ülkemize ne zaman, nasıl getirtildiği henüz anlaşılmayan Salyrgan yani civalı diüretik, Atatürk'ün vefatında önemli bir yer teşkil eder.

3 Ağustos 1938 tarihinde yapılan konsültasyondan önce kesinlikle kullanımının tehlikeli olacağı konusunda Fransız doktor tarafından (Fissinger) kendisine gerekli uyarıları yaptığını söyleyen Dr. Neşet İrdelp bu önerileri söylemesine karşın, Bergman ve Eppinger tedavi olarak kullanılması konusunda bastırmış ve aynı gün Atatürk'e bu ilaç verilmiştir. Bir önceki kitabımızda geniş bir şekilde dile getirdiğimiz bu ilacın yan tesirleri bilinmesine karşın bu uygulama 27 Eylül tarihine kadar sürmüştür. 27 Eylül tarihine gelindiğinde ise Atatürk müthiş bir komaya girmiş bu koma sonunda doktorları da zehirlendiğini üstü kapalı olarak da söylemişler hatta "Bundan sonra bir salyrgan şırıngasının dahi düşünüleceğini ilave ediyoruz..." demek suretiyle bu ilacın kullanımına son verilmiştir.

Agoni'de bu ilaç hakkında Tıp otoritelerini, Eczacıları ve Farmakologları bilgilendirmek için teferruatlı bir şekilde sunduğumuz bu bilgilere karşı tıp dünyası susmayı yeğlemiştir. Bu öne sunduğumuz teze karşı bir karşı tez koymamışlardır. Bu acınacak ve üzüntü veren durum karşısında şu sözleri sarf etmeden bu konuyu kapatmak istemiyorum.

Bugün devlet liderinin ölüsüne sahip çıkamayan bir millet ve onun sözcüleri yarin bu memleketin topraklarına karşı yapılacak bir saldırı karşısında bu ülkeyi nasıl savunacaklardır?

Yüce Türk Milleti bu davaya sahip çıkmıştır. Fakat makam, mevki ve yurt dışındaki komuta merkezinin ne diyeceğini bilmeyenler bu konu karşısında hala üzerlerindeki şaşkınlığı atamamışlardır. Bu da onların ne kadar GAFLET, DELALET ve HIYANET içinde olduklarının en güzel örneğidir.

Tekrar konumuza dönecek olursak bu ilaç Atatürk'ün karnında oluşan asitin alınması yani tedavi edilmesi maksadıyla verilmiştir.

Bu ilaç bir Diüretiktir. Diüretikler, idrar itrahını çoğaltan ilaçlara verilen bir isimdir. Direk olarak böbreklere olan tesirleri bilinmektedir ki burada Atatürk'ün yukarda da anlattığımız gibi Böbrek hastalığı mevcuttur.

Vücutta anormal toplanan mayi (asit-ödem) çıkarmak için yahut kanda toplanmış olan toksik cisimlerin itrahını kolaylaştırmak için kullanılırlar. Bunların kullanım çeşitleri ise;

A- Su

B- Osmatik tesirli olanlar

C- Xanthine türevleri; Kafein v. b....

D- Civalı Diüretikler, Civanın organik bileşikleri, Salyrgan, Novurit, Neptal

E- Indırek Diüretikler, Kardiyotonikler,Dijital cisimler

F- Dokuların su tutma kabiliyetini azaltan Troid Tozu

Görüldüğü gibi Diüretikler sadece civalı olanlarla sınırlı olmayarak çeşitleri ve kullanımlarına göre de sınıflara ayrılmaktadır. Nitekim Atatürk'ün karnında oluşan asidin tarihi hakkındaki endişelerimizi dile getirdiğimiz bölümde, Bitki ve Baharatlarında diüretik tesirleri olduğunu görmüştük.

Civalı Diüretiklerin kısa tarihine baktığımız da 16. yüzyılda Paracelsus Kalomeli Diüretik olarak kullanılmıştır. Bu 1950'li yıllarda diüretik olarak kullanılan ilaçlar civanın organik bileşikleridir. Bunlar mevcut diüretiklerin en kuvvetlisidir Civanın büyük bir organik molekülle birleşmesinden meydana gelmiştir.

İMTİSAS ve İTRAH

Civalı diüretikler dokulardan çabuk imtisas olunurlar. Teofilin ilavesi imtisası şiddetlendirir. İtrah tübülilerden pek çabuk başlar. % 70-80 'i ilk günde itrah olunur, gerisi organizmada tutulur. Bu kısmın itrahı yavaş olur.

Vücutta bu bileşiklerden civa iyonu yavaş yavaş serbest hale geçerek diüretik tesir gösterir.

Bilindiği gibi civa'nın diüretik tesiri toksik tesirinin en erken belirtisidir.

Fakat 1928 yılında GOVAERTS direk böbreklere tesir ettiğini gösterdi. Şu halde Bu ilacın tesiri direk böbrekler üzerinedir.

Civa'lı diüretikler verildikten sonra, ödemli dokulara konulan kanülden mayiin akımı hızlanır ve çoğalır ki bu da dokulara direk tesir lehinedir... Civalı diüretiklerin renal tesirleri yanında ekstrarenal tesirleri vardır... Civalıların teofilinle birleşmeleri ilacı daha az toksik kılar ve itrahı hızlandırır.

Civalı diüretiğin tesiri adeleye şırıngasından iki saat sonra başlar. 6. - 9. ncu saatte maksimuma erişir ve 12-24 saatte biter. Tek bir şırıngadan sonra, ödemli hasta da 3-5 ve bazen 10 lt. idrar çıkabilir. Lakin her diüretik gibi bazen tesirsizde kalabilir. Tesir sonra ki şırıngalarda hafifler, lakin tahammül husule gelmez. Civa'lı diüretik tesiri ile tuz idrahı çoğalır; günde çıkan tuz miktarı 30-80 gr. olabilir.

TOKSİK TESİR

Civalı diüretik kullanırken bazen civa ile Akut zehirlenme arazına benzeyen belirtiler olur. Albüminuri, silendrüri, hematüri, salivasyon, stomatit, hemorajik, kolit ve dolaşım kollapsı gibi bazı şahısların civaya karşı mutad dışı hassas olmaları veya civa itrahının çabuk olmaması ve böbreklerin çalışmalarında evvelden mevcut olan bozukluk buna sebeptir... Bazı Şahıslarda nadir tesadüf olunan civalılara karşı idyosen krizi, ateş ve deride erüpsiyon ile kendini gösterir.

Civalıların damara şırıngalarında ventrikül fibrilasyonları ile ölüm vak'ası kaydedildi.

Bilhassa bu yoldan verildiği zaman, kalp üzerine olan fena tesiri elektrokardiyogram da ritim ve iletim bozuklukları ile kendini gösterir.

Diğer bir takım toksik belirtileri, civalı diüretiklerin husule getirdikleri şiddetli diürez ve tuz kaybı neticesi olarak meydana gelen elektrolit muvazenesi bozulmasından ileri gelir.

Bu hallerde sodyum kaybına (depletion of Sodium) ait belirtiler; ZAFİYET, BULANTI, KUSMA, ADELE KRAMPLARI, KARIN KOLİKLERİ, APATİ UYUKLAMA, NİHAYET KOMADA ÖLÜM görülür.

Dijitalin tedavisinde bulunan yaygın ödemli bir hasta da dijital mobilizasyonu ile birden ölüm, nadir de olsa görülebilir.

İşte bu kadar tehlikeli olan ilacı 3 Agustos 1938 tarihinde yapılan konsültasyondan sonra hazırlanan raporun "Tedavi kısmında şöyle geçmektedir:

a- Asiti Salyrgan şırıngalarıyla giderilmeye çalışılmalıdır.

b- 2-3 defadan sonra Ponksiyon yapılacaktır. Salyrgandan evvel chloryre d'ammoniumla hazırlanmalıdır."

Yine Fransız doktor Fissinger'ın karşı olmasına rağmen...

c- Oubaine şırıngaları (Kalbi güçlendirecek iğneler) yapılacaktır.

Bu vücuttaki asidin atılmasına dair verdiğimiz civalı diüretiklerin yanında birde karından ponksiyon yapılması yani su alınması da gündeme gelmektedir.

PONKSİYON (KARINDAN SU ALINMASI)

Atatürk'ün karnından su alınması ilk defa 7 Eylül 1938 tarihinde Dr. Fissinger'inde bulundugu doktorların katılımıyla, Dr. M. Kemal Öke tarafından yapılmıştır. Bu Ponksiyonun (Su alımı) sonunda, karnından 12 litreye yakın su çıkmıştır. Bu ponksiyonda herkese kullanılan iğne (Kalın) kullanılmamış, evvela Novokain şırıngası ve sonra da küçük bir yarık açılarak (Şak) yaptıktan sonra yatakta su alınma işlemi yapılmıştır.

Ponksiyonu yapan M. Kemal Öke, Dr. Neşet İrdelp'e "Ben bu müdahaleyi gayri müsait (uygun olmayan) şartlarda yaptım" diyerek mes'uliyet'ten kaçtığını bir kaç defa dile getirdiğini bununla birlikte Dr. Fissinger'inde "İşleri güçleştiriyor" dediğini tekrarlar. (Akil Muhtar'ın notları)

Yapılan müdahale karındaki asiti azaltmamış, bir kaç gün sonra tekrar asit oluşmuştur. Bunun üzerine yapılan ikinci ponksiyon 22-23 Eylül tarihleri arasında yapılmıştır. Bu ponksiyonu da birincisini yapan M. Kemal Öke yapıyor. Bu sefer doğrudan doğruya kalın iğne kullanılarak (Trokar) yapılan işlemde tekrar 12 litre'ye yakın su vücuttan alınıyor.

Fakat alınan bu sulara ragmen yine de karında oluşan asitin önüne geçilemiyor. 3. defa Dr. Fissenger'in getirtilmesine karar veriliyor. Fissinger yaptığı muayene sonunda tekrar karından su alınması gerektiğini vurgulamış ve 12 Ekim 1938 akşamı, M. Kemal Öke ertesi gün tekrar köşke asitin alınması için çağırılmıştır.

13 Ekim tarihinde, M. Kemal Öke ile Neşet Ömer İrdelp, Özel kalem müdürünün odasın da asitin alınmasına ilişkin görüşmeler yaptılar. Uzun yıllardır, Atatürk'ün tedavisini yapan Dr. Neşet Ömer İrdelp Karaciğer yetersizliğinden ötürü hastanın herhangi bir zehirli maddeye dayanamayacagı görüşünü savunuyordu. Bu nedenle lokal anestezi yapılmadan az miktarda su alınmasını ileri sürüyordu. Dr. M. Kemal Öke'de vaktiyle Atatürk'e cerrahi girişimde bulundugunun onun ağrıya karşı ne derece duyarlı oldugunu bildiğini söylüyordu. Bu yüzden İrdelp'in fikrine katılmadığını söylüyordu. M. Kemal Öke'ye göre deri ve deri altının çok ince bir iğne ile uyuşturulmasından sonra karından su alınmasına da bir sakınca yoktu. Bu önerisini Dr. Fissinger'e iletince (M. Kemal Öke) bu türlü uygulama onun tarafından da zararsız karşılanmışdı. Bu şekilde karından asit alınması işlemi yapılmış ve 10 litre'ye yakın su çıkmıştı. Son ponksiyonda 7 Kasım tarihinde yapılmıştır. Oysa ki, Karında toplanan su bu hastalığın sonlarında görülen tehlikeli bir belirtidir. Kan dolaşımı ve teneffüs zorluğu verdiği gibi vücuttan alınması halinde sağlığa gerekli proteinlerin kaybına da yol açacağı

için ayrıca tehlikelidir. Bilinen bu gerçeğe rağmen aynı anda Atatürk üzerinde bu tehlikeli iki tedavi uygulanmıştır. Çünkü, 3 Ağustos'ta başlayıp 27 Eylül tarihinde verilmesi sonuçlanan saldırganla birlikte, 7 Eylül, 22-23 Eylül ve 13 Ekim ve 7 Kasım tarihlerinde ponksiyon yapılmış olması 10 Kasım 1938 tarihinde Ata'mızın vefatında etkili değildir demek ne kadar mümkün olacaktır.

3 Ağustos 1938 tarihli konsültasyon raporunda;

"1- Atatürk'te siroz vardır. Asit yapmış, biraz sübikter hasıl etmiştir.

2- Bunun esaslı amili alkoldür. " denilmekle birlikte bu raporun 3. maddesinde geçen ifade ile çelişkiye düşmektedirler.

3- Evvelden Atatürk'ün çektiği malarya'nın (sıtma'nın) bir tesiri olmalığını kat'iyetle söylemek kabil değildir. Buna ilişkin olarak da bu raporun tedavi kısmında; hafif bir quinine (Kinin) tedavisi yapılabilinir." Buradan da rahatlıkla şunu söylemek mümkündür ki aşağıdaki listede bunu onaylar. Atatürk Siroz değil bizzat Sıtma hastasıdır. Fakat Atatürk'e alkolik denilmesine yol açanların marifetleri yukarıda anlatıldığı gibi sadece ülkemizle sınırlı kalmamış, yurt dışında da bu iftiralar devam etmiştir.

Bu raporda yine; "Harerete karşı 0. 90 santigram kadar pyramidon verileçektir." denmektedir.

Yukarıda verilen bu bilgilerden de Ata'mızın nasıl meçhul bir yolculuğa sürüklendiği açık ve seçik ortadadır.

Kitabımızda sıklıkla yer vermeye çalıştığımız Granda, Atatürk'ün vefatına ilişkin son anı şöyle anlatıyor:

Yüzündeki Tülbenti Kaldırıp Baktım

"...Sarayda, Rıza adlı bir sofra arkadaşım daha vardı. O'nunla beraber yavaşça odadan içeri süzülmüştük. Çenesi bağlanmış vaziyette hareketsiz duruyordu. İki genç subay ayak ucunda, nöbet bekliyorlardı. Org. Fahrettin Paşa, Ankara'dan verilen emirle cenaze töreni için hazırlıklara geçirilmiş, üniformalı subaylar tarafından başucunda nöbet tutulmaya başlanmıştı."

"... Bir türlü öldüğüne inanamadım. Aç bakalım yüzünü dedim. Yüzündeki tülbendi açtırdım. Göz yaşlarımı içime akıtarak yüzüne, bir daha sadece resimlerde görebileceğim yüzüne uzun uzun baktım. Yüzü hafif siyahtı, morarmış gibiydi."

"... Akşamüstü sofracı İbrahim ile selamlık'da oturup dertleşirken İsmail Hakkı Tekçe Paşa geldi. İbrahim'le bana dönerek;

"Son görevimizi de yaptık. Yıkandı, kefenledi." dedi. Sonra nöbet sırası geldi diyerek üniformalarını giyip nöbete gitti. Giderken arkasından şöyle dedim:

"Beyler, Paşalar, şimdi hepiniz geldiniz. Atatürk'ü bekliyorsunuz. Yıllarca O'nu iki cahil sofracının eline bıraktınız da şimdi mi geldiniz?"

ATATÜRK NEDEN ÖLDÜRÜLDÜ?

SİYONİST İSRAİL ve TÜRKİYE

Ortadoğu ve Asya ülkeleri arasında İsrail ile en iyi ilişkilere sahip tek ülke Türkiye'dir. Zaman zaman bu konu da gerilmeler gözükse de yine de ilişkilerde ciddi bir kopma gözükmez. Hatta bu ilişkilerin yıllarca siyasi programı içinde İsrail'i hedef alan söylevler geliştirmiş Refah Partisi ve liderleri bizzat hükümet oldukları dönemde Türkiye ve İsrail arasındaki "Savunma Sanayi İşbirliği Anlaşması" na imza atmışlardır. Bu da göstermektedir ki Türkiye'de hangi Parti iktidar olursa olsun İsrail Devletiyle olan ilişkilerini korumak ve kollamak zorundadır. Hatta biraz daha ileriye giderek şunu söylemekte mümkündür. Ülkemizde siyasi iktidar olma hevesi içinde olan, hangi görüş ve fikre sahip olursa olsun, mutlaka Amerika'da bulunan Yahudi lobilerinin desteğini alma durumundadır. Bunun birçok nedenleri vardır.

Amerika-Türkiye ve İsrail ekseninde oluşturulacak Orta doğu politikalarının temelde İsrail'in güvenliğinin sağlanması ve bu oluşacak güvenlik zincirinin getireceği ekonomik ve sosyal çıkarlar belirli çıkar çevrelerine getirdiği ekonomik ve siyasi güç bunu en açık şekilde, Türkiye topraklarında uzun yıllardır yaşayan Yahudilerin yaptıkları lobi çalışmaları ve ülkede ağırlıklarını siyasi, ekonomik ve sosyal hayatta hissettirmeleridir. İlk kurulan Cumhuriyet Hükümetlerinden günümüze kadar uzanan tüm hükümetlerde çeşitli görevler almış, milletvekilleri, bakanlar, başbakanlar ve hatta üzerinde çalışmalarını hala sürdürdükleri Cumhurbaşkanlığı görevlerine uzanan ve devletimizin kritik noktalarında iyice yerleşmiş olduklarından, Türkiye Cumhuriyeti hükümetlerinden hangisi olursa olsun İsrail Devletiyle iyi geçinmek zorunda bırakılmıştır. Türkiye Cumhuriyeti Devletini kendine vatan bilen Yahudilerin ellerinde tuttukları iktisadi güç, siyasi güç ile birleştiğinde bugün içinde bulunduğumuz durumun şaşılacak bir durum olmadığı ortadadır.

Bu maddeleri aşağıya doğru çoğaltmak mümkündür. Aslında Türkiye-İsrail ilişkilerinin bu kadar gelişmesinin arkasındaki en önemli unsur Türkiye'deki Yahudi lobiciliğidir.

Dünyanın bir çok bölgesine dağılmış olduklarından dolayı bulundukları ülkelerde Yahudilerin sürekli olarak horlanması ve kutsal topraklara tekrar döne bilme arzusu Yahudilerin yeni arayışlara girmesine neden oluyordu. Bunlarla birlikte vaat edilmiş topraklara ulaşabilmek için bir plan yapılmalıydı. Ve plan ilk kez 31 Mart 1492 tarihinde, İspanya Kraliçesi İsabella'nın Hıristiyan Kilisesiyle anlaşarak Ülke içinde yaşayan Yahudilerin, 02 Ağustos 1492 tarihine kadar ülkeyi terk etmeleri istenmişti. Bunun üzerine, Osmanlı imparatoru 2. Beyazıt tarafından "Sefaret Yahudileri" Akdeniz ve Rusya üzerinden Türk topraklarına getirildiler. Sefaret Yahudileri, İstanbul ve Selanik'e yerleştirildiler. İspanya Endülüslü Türkleri katleden İspanya bin bir fitne ve fesat çıkaran bu Yahudileri Osmanlı imparatorluğuna göndererek Yahudilerin ilk sıçramalarını sağlıklı bir şekilde gerçekleştirmiş oluyordu.

Yahudilerin Osmanlı topraklarına göndermek suretiyle de Osmanlı imparatorluğu içinde fitne yaratma fikride yok değildi. Yahudiler Osmanlı topraklarına ayak basar basmaz vakit geçirmeden lobicilik faaliyetlerine başlamışlardı. Lobi faaliyetlerinde öne çıkan isimlerden birisi de, Portekiz'de dünyaya gelen 1553'te de İstanbul'a göç eden Yasef (Joseph) Nassi'dir. (1520) Bu kişi İstanbul'a gelir gelmez devlet yetkililerine yanaşma çabalarını başlattı. Bu çabalarında Şehzade Selim'in karısı ve III. Murat'ın annesi olan Yahudi asıllı Nurbanu Sultan'dan yararlandı. Nassi zaman içinde Kanuni Sultan Süleyman'la arasındaki bağı o kadar kuvvetlendirdi ki Kanuni onu özel müşavir tayin etti. Böylece ona şehzadelerle doğrudan ilgilenen "müteferrika" unvanı verildi. Sözünü ettiğimiz Yasef Nassi, Osmanlı Sarayı'yla bu kadar yakın irtibata geçince devlet yönetimi üzerinde etkinliği olan bir Yahudi lobisi oluşturdu. İşte bu lobi yani Nassiler, Osmanlı Devleti'nde kurulmuş ilk Yahudi lobisidir.

Bu sebepten Nassi aynı zamanda dünyanın değişik yörelerine dağılmış durumdaki Yahudileri Filistin topraklarına toplama fikrini taşıyordu. Bu yüzden o ilk Siyonist fikrinin babası olma özelliğini de taşır. Nassi bu yönde ki ideallerini gerçekleştirmek için Kanuni Sultan Süleyman'la iyi ilişkilerinden yararlanarak kendisine Filistin'in Taberiye gölü çevresinde bir miktar arazi verilmesini sağladı. Bu toprak parçasını alınca bölgede büyük bir Yahudi yerleşim merkezi kurma çabaları içine girdi ve Yahudileri oraya göç etmeye çağırdı. O orada kuracağı Yahudi yerleşim merkezine Sultan tarafından muhtariyet verileceğini umuyordu. Ancak idealini gerçekleştiremedi.

Osmanlı İmparatorluğu topraklarında kendi başlarına bir şey yapamayacaklarına kanaat getirdiklerinde Jöntürkler Hareketi'ni Avrupa'daki Mason locaları da kucakladı ve desteklediler. Bu hareketin ileri gelenlerinden Kazım Nami şöyle diyor:

"Hiçbir sahada birleşememiş, daima çekişmiş, didişmiş olan bizdeki muhtelif ırk, milliyet ve dinler, masonluk çatısı altında tam anlaşma halinde idiler."

Şair Eşref ise gerek Jöntürkler'e gerekse İttihat ve Terakki Cemiyeti'ne Yahudi kökenlilerin hakimiyetini dile getirmek için çok anlamlı bir dörtlük söylemiştir. Bu dörtlüğünde şöyle diyor:

"Avdetiler ile hükümetimiz,
Benzedi devlet-i Yehuda'ya,
Bab-ı fetvayı da çiftlik edip
Verdiler en-nihaye Musa'ya"

Açıklaması: "Hükümetimiz Dönmeler yüzünden, adeta Yehuda devletine dönüştü. Fetva makamını da Yahudilerin kontrolüne sokup, sonunda Musa'ya verdiler."

Bu olayların devamında tahta gelişinden inişine kadar süren mücadele yılları ile birlikte Türk tarihinde bile "Kızıl Sultan" unvanıyla tanınan, Sultan 2. Abdülhamit de Büyük İsrail projesini gerçekleştirmek için, Atatürk'ü nasıl harcadıysalar, Siyonistlerinde saldırılarından kendine düşen payı fazlasıyla almıştır.

SULTAN II. ABDÜLHAMİT VE YAHUDİLER

Sultan II. Abdülhamit, Yahudilerin Filistin topraklarına yerleşme planlarının önüne geçen padişah olarak bilinir. Bu tutumundan dolayı da Yahudilerin yönlendirdiği bütün fitne teşkilatlarının ana hedefi haline gelmişti.

Geniş kitlelerce Siyonizm'in fikir babası olarak bilinen Teodor Hertzl, kendilerine Filistin'de toprak verilmesi için Sultan II. Abdülhamit'le görüşmeler yapmak istemiştir. Bazı kitaplarda II. Abdülhamit'in onlarla görüştüğü ancak tekliflerini reddettiği söyleniyor. Oysa gerçekte II. Abdülhamit onlarla görüşmeyi kabul etmemiştir. Bunun üzerine Yahudi heyeti başbakan Tahsin Paşa yoluyla tekliflerini iletmişlerdir. Yahudiler 1902 yılında Tahsin Paşa yoluyla padişaha ilettikleri tekliflerinde şunları bildiriyorlardı:

Yahudiler aşağıda bulunan hususları taahhüt ederler:

1. Osmanlı devletinin otuz üç milyon İngiliz altınına ulaşan borçlarının tamamını ödemeyi,

2. İmparatorluğu korumak için 120 milyon altın franka mal olacak deniz filosu yaptırmayı,

3. Devletin mali durumunu canlandırmak için otuz beş milyon altın lira faizsiz borç vermeyi.

Bütün bunlar Yahudilerin, yılın herhangi bir gününde Filistin'e ziyaret maksadıyla girmelerine müsaade edilmesine ve Yahudilerin Kudüs-i Şerif'te kendi dinlerine mensup olanların ziyaretleri esnasında içinde kalabilecekleri bir müstemleke (kanton) kurmalarına izin vermesine karşılıktır.

Sultan II. Abdülhamit'e böyle bir teklifte bulunan heyetin başında siyonizmin babası Hertzl vardı. İttihat ve Terakkinin önde gelen liderlerinden biri olan Emanuel Karaso da bu heyetin içinde bulunuyordu. Yahudilerin bu teklifine Sultan II. Abdülhamit'in cevabı şu olmuştur: "Tahsin! Onlara de ki:

Devletin borçları onun için bir ayıp değildir. Çünkü, Fransa gibi başka devletlerin de borçları vardır ve borçları onlara zarar vermemektedir. Kudüs-i Şerif'i İslam'a ilk önce Hz. Ömer (r. a.) fethetmiştir. Burayı Yahudilere satma kara lekesini ve Müslümanların korumam için bana tevdi ettikleri emanete ihanet etme suçunu yüklenemem. Yahudiler, mallarını kendilerine saklasınlar. Devleti Aliye'nin İslam düşmanlarının mallarıyla yapılan kalelerin arkasına sığınması mümkün değildir. Emret çıksınlar! Bir daha benimle görüşmeye veya buraya girmeye uğraşmasınlar."

Siyonist lider Teodor Hertzl de anılarında, Sultan II. Abdülhamit'in kendilerine şu cevabı verdiğini yazmaktadır:

"Doktor Hertzl'e bu konuda yeni adımlar atmamasını öğütleyin. Çünkü ben bir karış toprak dahi veremem. Orası benim kendi mülküm değil milletimin mülküdür. Milletim bu yer için savaşmış ve orayı kanı ile sulamıştır. Yahudiler milyonlarını kendilerine saklasınlar. Bir gün gelir de İmparatorluğum parçalanırsa işte o zaman Yahudiler, Filistin'i para ödemeden alabilirler. Fakat ben sağ olduğum müddetçe bedenimin neşterle yarılması Filistin'in İmparatorluğumdan koparılmasından benim için daha kolay bir hadisedir. Bu imkansız bir şeydir. Ben daha sağ iken bedenimizin üzerinde otopsi yapılmasına asla müsaade edemem."

Sultan II. Abdülhamit, hatıralarında da Yahudilerin Filistin'e yerleşme fikirleri hakkında oldukça ilginç noktalara parmak basmaktadır. Şöyle diyor Sultan II. Abdülhamit:

"Yahudiler, Avrupa'da Doğuda olduğundan daha fazla bir kudrete sahiptirler. Bu sebeple de birçok Avrupalı devlet çok artmış olan Semit (Yahudi) ırkından kurtulabilmek için Yahudilerin Filistin'e muhaceretini iyi karşılayacaklardır. Fakat bizim memleketimizde kafi Yahudi vardır. Eğer Filistin'de Müslüman Arap unsurunun faikıyetini (üstünlüğünü) muhafaza etmesini istiyorsak, Yahudilerin yerleştirilmesi fikrinden vazgeçmeliyiz. Aksi takdirde yerleştirildikleri yerde çok kısa zamanda bütün kudreti elde edeceklerinden dindaşlarımızın ölüm kararını imzalamış oluruz... Siyonistler Filistin'de yalnız ziraat yapmak değil, orada hükümet kurmak, siyasi temsilcilerini seçmek gibi şeyler de arzuluyorlar."

Bugün bu sözlerin haklılık payı ne kadar ortadadır. Terörün ve şiddetin her gün bir yenisinin yaşandığına şahit olduğumuz bu durum. Sultan 2. Abdülhamit'in 33 yıllık saltanatına son vermesine kadar uzanacaktır. Sultan II. Abdülhamit, yukarıda sözünü ettiğimiz İttihat ve Terakki Cemiyeti'nin çıkardığı ve tarihe 31 Mart Vakıası diye geçen isyandan sonra tahttan indirilmiştir. İlginç olan şuydu:

31 Mart isyanını çıkaranlar ve kışkırtanlar İttihat ve Terakki Cemiyeti mensupları veya onların yönlendirdiği kimselerdi. Daha sonra padişahın tahttan indirilmesine de yine bu cemiyet karar verdi ve bu kararında padişahı 31 Mart isyanına sebep olmakla suçladı. Yani kendi suçlarını padişaha yükleyerek bunu onun tahttan indirilmesi için gerekçe olarak kullanmışlardı. Babıali'nin gösterdiği tavırda buna eklendiğinde Sultanın tahta kalması imkansız bir hal almıştır.

Padişah'ın haline (yani saltanattan indirilmesine) dair kararı ona tebliğ eden heyetin arasında yer alanlardan biri de yukarıda sözünü ettiğimiz Emanuel Karaso idi. Bu kararı tebliğ eden heyetin içinde bir tek Türk yoktu.

Gaflet ve dalalet içinde bulunan İttihat ve Terakki Cemiyeti'nin başını çeken Ahmet Rıza, Enver Paşa, Talat Bey ve Nazım Bey gibi isimler Filistin'e Yahudi göçünün Osmanlı devletine yarar sağlayacağını iddia ediyorlardı. Oysa onların bu iddiaları Mason localarından aldıkları telkinlere dayanıyordu. Zaten Selanik'teki mason localarının temel hedeflerinden biri Filistin topraklarına Yahudilerin yerleştirilmesinin önündeki engelleri kaldırmaktı. En büyük engel ise Sultan II. Abdülhamit'ti. O tahttan indirilince Yahudi göçünün önündeki bu en büyük engel kaldırılmış oldu. Kendi içlerinde bile sistemli şekilde çalışan Masonlar dünya Mason örgütlerinin de desteğiyle İsrail Devletinin Filistin topraklarında kurulmasına yardım etmişlerdir.

İttihat ve Terakki Cemiyeti, sultan II. Abdülhamit'i tahttan indirince yerine Sultan Reşat'ı getirdi. Sultan Reşat, ittihatçıların karşısında genellikle pasif kalmıştır. Dolayısıyla devlet yönetiminin iplerini onlar almış oldular. Onlar da Filistin topraklarına Yahudi göçünü kolaylaştırdılar. İttihatçılar, II. Abdülhamit'in yabancıların Filistin'den arazi almalarını yasaklayan kanunlarını uygulamadan kaldırarak, Yahudilerin Filistin dahil memleketin her tarafından toprak satın almalarına imkan sağlayan kanunlar çıkardılar. 1909'da II. Abdülhamit'in hal'inden sonra iktidara gelen hükümette birkaç Yahudi kökenli bakan bulunuyordu.

1909 Jön Türkler İnkılabından sonra iktidara gelen ilk hükümette, aralarında Baruchiah Russo ailesinin ahfadı (torunu) olan ve fırkanın liderlerinden biri olarak faaliyette bulunan Maliye Bakanı Cavit Bey'in de bulunduğu birkaç dönme mevcuttu. "Yaklaşmakta olan tehlikenin boyutunu tespit eden Gümülcine mebusu İsmail Hakkı Bey, ittihatçılara karşı 21 Şubat 1910'da Ahali Fırkası'nı kurarak muhalefete başlamıştır. İsmail Hakkı Bey, Şubat 1911'de Meclisi Mebus an'da yaptığı bir konuşmada Siyonizm tehlikesine dikkat çekmiş ve Siyonistlerle ilişki içinde olan ittihatçıların memleketi Yahudilere sattıklarını dile getirmiştir. Bu gerçeği dile getirenlerden biri de Beyrut mebusu Rıza Salih Bey'di. Rıza Salih Bey, İsmail Hakkı Bey'in ardından Meclis kürsüsünden yaptığı konuşmada şunları söylemişti:

"Yahudiler devletlere mahsus bayrak ve aralarında kullanılmak üzere pul çıkardılar ve para bastılar. Para ve bayrak için elimde şu anda vesika yok ise de pul örneğini Şükrü Bey göstermişti. Museviler Filistin'de bin kuruş demeyin tarlayı elli kuruşa alıyorlar. Birçok araziyi satın alıp koloniler haline getirmektedirler. İki yüz bin nüfusa yaklaştılar. Bu bölgenin ekonomisi tamamen ellerine geçmiştir."

Bugün bize pekde yabancı olmayan bu sözleri maalesef iffetle dinliyoruz ve okuyoruz. Her bir karış toprağı atalarımızın kanı ve canıyla sulanmış olan bu toprakları satmayalım. Toprağımıza sahip çıkalım. Üzerimizde oynana bu oyunlara millet olarak fırsat vermeyelim.

Önceleri İttihatçılarla birlikte olan ancak onların Siyonistlerle işbirliği içinde olduklarını yekinen görünce onlara karşı cephe alan Miralay (Albay) Sadık Bey de Siyonizm tehlikesine şu şekilde dikkat çekiyordu:

"Bugün Siyonistler nazarında Osmanlı Devleti'nin çökmesi, hiç değilse Kudüs'ün ve Filistin'in bizden kopması istenmektedir. Masonlar da onlarla beraberdir. Buralarda bir Yahudi hükümeti kurmak istiyorlar." Miralay Sadık Bey bu uyarıyı İttihat ve Terakki Cemiyeti'nin kongresine sunduğu bir raporda yapmıştı.

Fakat İttihatçılar onun raporunu derhal ortadan kaldırmış ve kendisini de istenmeyen adam ilan etmişlerdir. İttihatçıların bu ihanetleri Sarıkamış'ta düşmana karşı tek bir kurşun dahi atmadan helak olan Türk askerinin hezimeti de bu ihanetlerin boyutunun ne kadar büyük olduğunun anlaşılmasında bize yardımcı olacaktır sanırım.

Osmanlı ahalisini temsilen padişahın karşısına çıktığını iddia eden böyle bir heyette, ahalinin ana unsurunu teşkil eden ve devletin yönetimini resmiyette elinde tutan önemli bir etnik unsuru temsil eden bir tek kişinin bulunmaması dikkat çekiciydi. Padişah da bu durum karşısında şu ifade-yi kullanmıştı:

"Bir Türk padişahına, 33 sene bu makamda bulunmuş İslam halifesine hal' kararını bildirmek için bir Yahudi, bir Ermeni, bir Arnavut ve bir nankörden başkasını bulamadılar mı?"

Yahudilerin ve masonların Sultan II. Abdülhamit'e son derece düşman olmalarının en önemli sebeplerinden biri onun Yahudilerin Filistin topraklarına yerleşmelerine engel olmasıydı. II. Abdülhamit Yahudilerin gizli yollardan gidip o topraklara yerleşmelerini engellemek için de çeşitli tedbirler almıştı. Bu tedbirlerden biri de Filistin topraklarındaki kutsal mekanları ziyaret etmek için oraya giren Yahudilerin pasaportlarının gümrük kapılarında alınması ve dönüşte iade edilmesiydi.

Yine Yahudilerin Filistin'de herhangi bir şekilde toprak satın almaları da yasaklanmıştı. Günümüzde ise en son Anayasa Mahkememizin aldığı doğru bir kararla bu toprak alınımı durdurulmuştur. Ülke topraklarımızı satın almak için gelen, Siyonistler, Ermeniler ve diğerleri yıllar önce bir sultanın tahttan indirildiğine şahitlik ettiğimiz olayların henüz bitmediğinin işaretlerini bizlere vermektedir. Öyle ki Ulu Önder Mustafa Kemal Atatürk'ün öldürülmesinin de yegane sebebi bu kurulması planlanan İsrail Devletine karşı olmasıdır. Atatürk Yahudi düşmanı değil ama bir Siyonist düşmanı olarak algılamak çok doğru olacaktır. Necdet Sevinç'in 18 Mayıs tarihli, Yeniçağ Gazetesinde yayınlanan yazısında 2. Abdülhamit ve Atatürk'le devam eden önemli bir sürecin (Projenin) belgesini ortaya koymaktadır.

"Arapların Avrupa siyasetine nüfuz edemeyip, bu sözde istiklâl kelimesine inandıkları ve bu uğurda Arap memleketlerini Avrupa emperyalizmine esir kıldıkları çok şayan-ı teessüftür. Kemal Atatürk, Filistin'in, Arabistan'a vuku bulacak harekâtın merkezini teşkil ettiği takdirde bura Araplarına yapılacak herhangi bir fenalığa Türklerin de tahammül edemeyeceğini söylemektedir. Arapların arasında mevcut olan karışıklığı ve hoşnutsuzluğu kimse bizim kadar bilemez. Biz vakıa birkaç sene Araplar"dan uzak kaldık. Fakat şimdi kendimize kâfi derecede güvenip ve kudretimizi bildiğimiz için, İslamiyet'in mukaddes yerlerini Musevilerin ve Hıristiyanların nüfuzunun altına girmesine mâni olacağız. Binaenaleyh şunu söylemek istiyoruz ki buraların Avrupa emperyalizminin oyun sahası olmasına müsaade etmeyeceğiz.

Biz şimdiye kadar dinsiz ve İslamiyet'e lakayt olmakla itham edildik. Fakat bu ithamlara rağmen Hazret-i Peygamber'in son arzusuna yani, mukaddes toprakların daima İslam hâkimiyetinde kalmasını temin için hemen bugün kanımızı dökmeye hazırız. Cedlerimizin Selahattin'in idaresi altında uğrunda Hıristiyanlarla mücadele ettikleri toprakların yabancı hakimiyet ve nüfusunun tahtında bulunmasına müsaade etmeyeceğimizi beyan edecek kadar bugün Allah'ın inayeti ile kuvvetliyiz. Avrupa bu mukaddes yerlere temellük etmek için yapacağı ilk adımda bütün İslam aleminin ayaklanıp icraata geçeceğine şüphemiz yoktur. " İşte bu nutuk ve Atatürk"ün, hemen hemen tamamı İngiliz işgali altında bulunan İslam dünyasının istiklâliyle ilgisidir ki, İngiltere kralı 8. Edwartın Gazi"nin ayağına gelmesini sağlamıştır."

Atatürk'ün bu sözleri söylediği tarihe dikkat edecek olursak, 1937'nin Ağustos ayıdır. Buna da bir tesadüf müdür gözüyle bakmamız gerekiyor?

YAHUDİLERİN CUMHURİYET DÖNEMİNDE LOBİCİLİK FAALİYETLERİ

Yahudiler, Osmanlı Devleti'nde olduğu gibi Türkiye Cumhuriyeti'nin kuruluş döneminde de yoğun şekilde lobi faaliyetleri yürütmüşlerdir. Yahudi lobicilerin Cumhuriyetin kuruluşu merhalesinde hemen sahneye çıktıklarını görüyoruz. Öyle ki, Lozan görüşmelerine doğrudan müdahale edebilmek için görüşmelerin yapıldığı şehre kadar gidip Türk tarafını temsil edenlerle irtibat kurmaya çalışmışlardır. Lozan görüşmelerine katılanlardan olan Dr. Rıza Nur, "Hayat ve Hatıratım" adlı eserinde onların müdahalelerinden şöyle söz ediyor:

"Bir müddettir İstanbul eski hahambaşı Naum (Haim Naum) bizim otelde (Lozan görüşmeleri esnasında kaldıkları otelde) görülmeğe başladı. Baktım bir gün İsmet'le (İsmet İnönü'yle) görüşüyor. Ne yapmış, kimi vasıta yapmış bilmem. İsmet'e yanaşmış. Yaman Yahudi!. . Artık İsmet'ten ayrılmıyor. Yemek zamanını biliyor ya, asansörün yanında bekliyor (yemek zamanını bildiği için tam o vakitte asansörün yanında bekliyor). Derhal İsmet'in koltuğuna giriyor, belinden yakalıyor. O da onun. İsmet'i lüzumu yokken holde dolaştırıyor. Sonra yemek salonunda, İsmet'le şakalaşıyor, gülüyor. Anlaşılıyor ki, herkese, 'İsmet benim samimi, teklifsiz arkadaşımdır' diye göstermek istiyor ve gösteriyor. Nihayet bütün Yahudi sırnaşıklığı (yapışkanlığı) ile yanaştı. İsmet'in yakasını bırakmıyor. Şimdi odasından da çıkmıyor. İsmet bunu müşavir tayin etti. Yevmiye vermeye de başlamış. Bana da söylemiyor. Heyet-i murahhasa çiftliktir, kullanıyor (görüşme heyetini, bu heyet için tahsis edilen parayı adeta kendi çiftliği gibi kullanıyor). Ne diye kandırdı bilmem, bu sadedil (saf, kolay aldanabilen) İsmet, Yahudi'nin dolabına girdi. Derken hahambaşını soframıza da aldı. Bu vakte kadar sesimi çıkarmamıştım. İsmet'e dedim ki: 'Bu Yahudi de başımıza nereden çıktı? Senin böyle bir Yahudi ile laubali görüşmen haysiyetini ve Türk milletinin, heyetinin haysiyetini kırar. Bu kadar yüz verme! Hiç olmazsa herkesin içinde yüz verme!' Bana kızdı. Herif derken azdıkça azdı. Heyetten şuna buna herkesin içinde kumanda ediyor. Benim önüme gecip önümde yürüyor. İhtimal İsmet benim sözlerimi ona söyledi. Fakat ben durur muyum? Zaten Yahudileri hiç sevmem. Haham önüme geçtiği vakit hakaret ettim ve kolundan tutup arkama çektim. 'Bir daha burada yürü!' dedim... İsmet'e tekrar şöyle dedim: 'Bu bir Yahudi'dir. Yahudiler çok adi şeylerdir. Bunun kim bilir ne fena işleri vardır? Bundan bir hayır bekleme!' Onun tanıdığı muhit Yahudi sarraf alemidir... Hahambaşı İsmet'e bütün İngiliz ve Fransız ricalini tanıdığını, hepsi ahbabı olduğunu, işleri istediği gibi yaptıracağını söylüyormuş. Tabii İngiliz, Fransız ve İtalyan delegelerine de İsmet'in avucunda olduğunu söylüyordu... Lozan muhitinde dolaşıyor, herkese: 'İsmet teklifsiz ahbabımdır, sözümden dışarı çıkmaz' diyormuş."

Hahambaşı Haim Naum'un Lozan görüşmeleri esnasında yürüttüğü lobi faaliyetleri bu kadardan ibaret değildi. Bunun da ötesinde hilafetin kaldırılması Türk tarafına Lozan görüşmeleri esnasında kabul ettirilmişti ve bunda da Haim Naum'un önemli rolü olmuştu. Lozan görüşmeleri esnasında Türkiye'de başvekil (Başbakan) olan Rauf Orbay'ın belirttiğine göre hahambaşı Haim Naum İngilizler adına İsmet Paşa ile görüşmüş ve gizli pazarlıklarla halifeliğin kaldırılmasını kabul ettirmişti. Rauf Orbay bu konuyla ilgili olarak Feridun Kandemir'e şunları söylemişti:

"İsmet Paşa, anlaşıldığına göre, Lozan'da İngilizlerle bir çeşit gizli arabuluculuk rolü oynayan İstanbul Yahudi Hahambaşı Haim Naum Efendi'nin telkinleriyle, hilafetin artık ne şekilde olursa olsun Türkiye'de devamına müsaade edilmeyip, derhal kaldırılması fikrini tamamıyla benimsemiş bulunuyordu. "

Bu dönemde öne çıkan Yahudi lobicilerinden biri de yine Mustafa Kemal'in özel doktorlarından olan Abravaya Marmaralı'ydı. Bu kişi aynı zamanda Meclisi Mebusan'a milletvekili olarak girmişti. Öne çıkan bir diğer Yahudi lobici de yedinci dönem milletvekillerinden Avram Galanti'ydi. Avram Galanti Osmanlı döneminde de İttihat ve Terakki Cemiyeti'nin aktif ve ileri gelen elemanlarından biriydi. Yahudiler, cumhuriyetin kuruluşu aşamasında ve ilk yıllarında yürüttükleri lobi faaliyetleriyle önemli köşe başlarını tutmayı başardılar. Bu köşe başlarını tutmaları onların sonraki dönemlerdeki lobi faaliyetlerini kolaylaştırdı. Tabii bu arada

Avrupa ülkeleri nezdin de elde etmiş oldukları siyasi kazançlarını ve elde ettikleri statüleri de Türkiye'deki konumlarını sağlamlaştırmak için çok iyi değerlendirmişlerdir. Bu çalışmaları onların ekonomik alandaki güçlerini artırmalarına da imkan sağlamıştır.

Yukarıda özetlenmeye çalışılan konunun aslında, Ülkemizde sıklıkla yaptığımız bir yanlışlığın daha iyi anlaşılmasını sağlamak amacıyla yazıldığını göz ardı edemeyiz. Bu da ayrılması işlemidir. Bu yurt toprakları üzerinde yaşayan Yahudilerin hepsi kötüdür diye bir kural yok. Kendi milletimiz içinde Türk oğlu Türk gibi görünüp de bu ülkeye ihanet edenler yok mudur? Ya da bundan sonra da olmayacak mıdır? Mutlaka bu tür unsurlar da bulunacaktır. Yüce Türk Milleti onlara da gerektiği zaman gerekli muameleyi de yapmayı bilecektir. Musevi vatandaşlarımız içinde de tarih içinde sorunlar yaşamış olsak bile ülkemiz de yaşamak ve ülkemize hizmet etmek aşkıyla yananlar yok mudur?

Cumhuriyetin ilk yıllarında, bağımsızlık mücadelemizde bir safha olan Lozan Barış Konferansına giden delegeler kuruluna verilen direktiflerden birisinin de, "…Yahudi topluluğuna gelince,bu topluluğun Türk hükümetine karşı her zaman göstermiş olduğu bağlılık zihniyeti,bu topluluk üyelerinin,Türk Vatandaşları ile birlikte memleketin kalkınması ve refahı için gürültü çıkarmadan iş birliği yapmaya ara vermeyeceklerini düşündürmektedir." İsmet İnönü Lozan'da 12 Aralık 1922'de yaptığı konuşmada; "Yahudilerden söz etmek istemekteyim. Son zamanlara kadar adı hiçbir anlaşmada geçmeyen bu çalışkan ve zeki unsur, kendi halinde ve her türlü sarsıntıdan uzak yaşayışıyla, öteki unsurlara örnek olarak gösterilmelidir. Yahudilerin verdiği örnek, şunu açıkça göstermeye yetmektedir. Türkiye'de kendi halinde bir vatandaş için, bütün haklardan yararlanmada en iyi yol, dışarıyla şüpheli münasebetler kurmamak ve dışarıdan gelen özel bir ilgiye konu olmamaktadır. "

Görüldüğü gibi tarih içinde sıklıkla beraber olduğumuz bir çok acı ve tatlıyı paylaştığımız Musevi vatandaşlarımız yakın dönemde, Atatürk'ün de içine sokulduğu bir propagandanın malzemesi olma durumuna gelmişlerdir. Sanki ülkemizde Yaşayan bu samimi Musevi vatandaşlarımız (açıktan Museviliğini söyleyenler) ve Sabetayist olarak nitelendirdiğimiz ve neredeyse bizden biri olan Musevi vatandaşlarımız, Irk devleti ve dünyanın tek terör devleti olan İsrail yani Siyonistlerce idam fermanları çıkartılarak ülkemizde zor durumda bırakılmışlardır. Bunu daha iyi anlaya bilmek için son 15 yıl içinde bu konuda yayınlanan yazılara bakmak yeterlidir.

Cumhuriyetin ilk yıllarından itibaren ülkemizin ekonomik ve sosyal hayatını dikkatli incelediğimizde Musevilerin etkisini göz ardı edemeyiz. Yahudiler arasında da tarikatlar ve görüş ayrılıkları olduğunu da düşündüğümüzde ülkemize zarar verenlerin teşhisinde çok dikkatli davranmak gerektiği ortaya çıkmaktadır. Yine bu ülkenin bir vatandaşı olduğu için gurur duyan ve "BEN TÜRK'ÜM DİYENDEN DAHA ÇOK MÜCADELE EDEN" değişik din, ırk ve milletlerden insanlar bu ülkede yaşamaktadır. Zaten bu konuyu çok iyi fark etmiş ve herkesçe malum olan Atatürk'ün milletçe hepimizi tek ve eşit tutan şu müthiş sözünde; "NE MUTLU TÜRKÜM DİYENE" gerçek bir anlam bulmuştur.

ATATÜRK SABETAYCI MIYDI?

Atatürk'ün vefatının ardından onun manevi şahsiyetine yönelik saldırıların ardı arkası kesilmeden, aksine her geçen gün daha şiddetli şekilde devam ettirilmektedir. Sadece bu durum Atatürk'ümüzün büyüklüğünü anlamamız için bize yeter de artar bile. Çünkü; meyvesi olan ağaç taşlanır.

Aslı astarı olmayan saldırılardan bir tanesi de Atatürk'ün "Din düşmanı" olduğu fikrini ortaya atmaktır. Kökleri dışarıda bulunan dernek ve kuruluşlar ve onların kuklalarının uzun yıllardır sürdürdükleri propagandalarının yeni bir evreye sokulmak istendiğine şahitlik etmekteyiz. Bu da Atatürk'ün Yahudi olduğuna dair iddialardır ki işin boyutu düşünüldüğünde, Yüce Türk Milleti üzerinde bırakacağı tesir ve şiddeti ölçmek, bunu test etmek isteyen ahmakların yapacağı en büyük hatalarından biri olacaktır.

Tabidir ki yapılan bu saldırılar, belirli hedefler gözetilerek kasıtlı olarak, planları gereği uygulanmaktadır. İşte bu din meselesinin de bu şekilde gündeme getirilmesi hedefleri belirlenmiş projenin dahilinde olan uygulamadan başka bir şey değildir.

Dünya üzerinde mevcut dinler üzerinde insanlığın mantığına yakın ve hoşgörü içeren İslam dini bize "Şu Müslüman'dır", "Bu dinsizdir" diye, bir diretmede bulunma, söyleme hakkını kimseye tanımaz. Bu Yüce İslam dininin temel kaidelerine de ters bir durumdur. Kimin dindar, kimin dinsiz, kimininse münafık olduğuna, biz Allah'ın zavallı kulları karar veremeyiz. Maalesef bu hakkı kendinde görenler ve İslam dinini şiddet içeren bir dinmiş gibi göstermeye çalışanlar hep olduğu gibi bundan sonrada olacaktır. Ama bu mensubu olduğumuz dinimizi bağlamaz. Bir avuç kendini bilmez'in kendi çıkarları doğrultusunda davranması sadece onların problemidir.

Kendini Müslüman kabul edenlerde, diğer dinlere karşı saygılı olmalıdır. (Doğal olarak bu karşılıklı olarak gerçekleşen olgudur.) Kimse, kimsenin hakkına ve hukukuna karşı bu yönde tacize, şiddete ve iftiraya bağlı olarak saldırmamalıdır. Zaten Atatürk'ün din konusunda bize öğrettiği ve uygulamaya çalıştığı da budur.

Bu sözlerin ardından bu konunun nereden ve nasıl çıktığına bakmak gerekiyor. Maalesef her fitneyi doğurmakta marifetli ve beceri sahibi olan Siyonist İsrailliler işin kaynağıdır. Bu konuda hiç şaşırmamak gerekir.

Forward gazetesindeki Atatürk'le ilgili yazı bizzat Hillel Halkin adlı, Amerikan asıllı ünlü bir İsrailli gazeteci tarafından kaleme alınmıştır. Referans verdiği Filistin Yahudi'si bir gazeteci olan Itamar Ben-Avi'nin İbrani'ce otobiyografisi de 1940 yılında Kudüs'te yayınlanmıştır.

Bu anısında Itamar Ben-Avi 1911 yılında, Mustafa Kemal daha 30 yaşında, Trablusgarp Savaşı'na katılmak üzere olan bir subayken o zamanlar bir Osmanlı vilayeti olan Filistin'den geçtiğini belirtiyor.

Ben-Avi, Kudüs şehrinde bulunan Kamenitz Oteli'nde giderek parlamakta olan Osmanlı subayı Mustafa Kemal ile tesadüfen karşılaşmalarını anlatıyor.

Ben-Avi, gazeteci kimliğiyle, Mustafa Kemal ile dostane bir mülakat yapıyor. Konuşmalarının da ana eksenini o yıllarda Osmanlı İmparatorluğu'nun içinde bulunduğu savaş ortamından nasıl kurtarılabileceği oluşturuyor.

Birkaç gün üst üste devam eden toplantılarının birinde Mustafa Kemal, aslen Sabetay Sevi'ye inananların soyundan geldiğini, fakat Yahudi olmadığını, küçüklüğünde babasının kendisine Venedik'te basılmış eski bir Tevrat'ı okuyabilmesi için Karaim Yahudi'si bir öğretmen tuttuğunu belirterek, aklında kalan tek duanın da; "Shema Yisrael Adonai Eloheinu ve Adonai Ehad" olduğunu söylüyor.

Yani; "Dinle ey İsrail, Rabbimiz olan Allah Tektir."

Itamar Ben-Avi de unutamadığı bu toplantıyı yaşamındaki diğer tüm anılarla beraber 1940 yılında Kudüs'te bir kitap halinde bastırıyor.

Fakat baskı çabucak tükendiğinden ve İbranice olarak basıldığından, bu önemli konu sadece dar bir çevrenin bildiği bir konumda kalıyor. Hillel Halkin ise 1994'te İsrail Cumhurbaşkanı'nın Türkiye'yi ziyareti dolayısıyla, Atatürk'ün Yahudi geçmişinin iki ülke arasındaki bağları nasıl etkileyebileceğini düşünerek, Cumhurbaşkanı sözcüsüne konuyu gündeme alıp almayacaklarını soruyor.

Onların da bu konudan habersiz olduklarını görmesi üzerine New York'ta yayınlanan 103 senelik bir Yahudi gazetesine konuyu aydınlatan geniş bir özet sunuyor.

Makalesinde, Itamar Ben-Avi'nin otobiyografisinden, Atatürk'ün Şemsi Efendi'nin yönettiği Fevziye Mektebi'nde babası tarafından okutulmasından ve Nazilerce katledilen Selanik Musevilerinin (1912-1943) Atatürk'ün kendi cemaatlerinden çıkmış olmasından ötürü duydukları kıvançtan bahsediyor. Bununla birlikte Encyclopedia Judaicada bile Atatürk'ün dönme asıllı olduğuyla ilgili iddialar da dile getirilmektedir.

Hillet Haklin yazısında, Atatürk'ün Şemsi Efendi'nin kurduğu ve yöneticisi olduğu Fevziye mektebinde babası tarafından yazdırılmasını dile getirmektedir. Çünkü bu okula yazılanların Yahudi olma şartı vardı.

Bu kitabın 1. cildinin 23. sayfasında ise, Mustafa Kemal'in 1911'de Libya'ya giderken Kudüs'e uğradığından bahsederek şöyle bir anıya yer vermiştir:

"8 Eylül 1911'de İstanbul'dan yola çıkan Mustafa Kemal, 19 Ekim'de İskenderiye'ye vardı. Bu yolculuk esnasında

Mustafa Kemal'in, Kudüs'e de uğradığı ve orada ibrani dilini yeniden konuşma dili haline getirme çabası içinde bulunan ve İbranice'nin Büyük sözlüğünü meydana getiren Eliezer Ben Yehuda (1858-1922) ile görüştüğü anlaşılıyor. Adı geçen eserde, Mustafa Kemal`in o zamanlar Yehuda ya İbrani yazısının güç bir yazı olduğunu, bunun yerine latin harflerini kabul etmelerinin yerinde olacağını, eğer kendisi Türkiye'de söz sahibi olursa Arap harfleri yerine latin harflerini kabul ettirmeye çalışacağını söylediğinden bahsedilmektedir.

Eliezer Ben Yehuda'nın oğlu Hamar Ben-Avi hatıralarında uzun uzun Mustafa Kemal'le babasının ve kendi tanışmalarından bahseder.

Hillet Halkin, bu makalesinde Atatürk'ün babasının sebatayci olduğunu belirtiyor. Bu sonuca da Atatürk'ün 1911 yılında Kudüs' te Ben-Avi ile yaptığı röportajı gösteriyor.

Yukarıda ki saçmalıklara ilk bakışta olaya vakıf değilseniz inanmanız ve kabul etmemeniz için bir sebep yoktur. (Atatürk karşıtı ve yandaşı gözüken bir çok insan da bu yönde bir ey ilimi de gözlemlemiş durumdayım.) Bu da sizi Atatürk'ü kavrayamadığınızı, tanımadığınızı gösterir.

Atatürk'ün vefatından sonra ortaya atılan bu düzmece belgelerin çok olduğunu zaman zaman ortaya atılan düzmece belgelerde de gördük. Baştan sona saçmalıklarla dolu olan bu konuyu biraz derinleştirerek bakmakta fayda görmekteyim. Çünkü atılmaya çalışılan bu çamur sadece Atatürk'le sınırlı kalmayıp, Büyük İsrail Projesinin gerçekleşmesinde uygulanmaya çalışılan bir safhadan başka bir şey değildir.

TÜRK-YUNAN MÜBADELESİ VE TARİHİ GERÇEKLER

Türk-Yunan mübadelesi yazılan ve yazılmayan yönleriyle yeni kurulmuş Türkiye Cumhuriyeti Devleti'nin günümüzde yaşanan siyasi olayları anlamamızda ve yorumlanmasında bize yol gösteren önemli vakalardan bir tanesidir.

Öyle ki bir süreden beri giderek şiddetini artıran Üniter devlet yada Ulusalcılık kavramlarıyla birlikte ülkenin ciddi bir tehlike ile karşı karşıya kaldığının işaretlerini verildiği şu günlerde şahit olduğumuz olaylar ve bununla birlikte tarihi bir olayın devamını bu süreç içinde nasıl tamamladığına;ülkemizin nasıl bir sıçrama taşı haline geldiğine şahit olmaktayız.

Bu sıçrama taşının safhalarından biri de Türk ve Yunan Halklarının yer değiştirmesi yani "Mübadele edilmesi" olarak görebiliriz.

Mübadele esnasında yaşananlar ve bu mübadele esnasında gidenler ve gelenler bir tartışma konusu olma özelliğini de hala günümüzde sürdürmektedir. Bu tartışmanın en yoğun ve şiddetli olanı ise bu mübadele esnasında gelenler içinde Yahudiliğini gizleyenlerin yani sabataistler'in de bulunmasıdır. Bu döneme damgasını vuran da yine kendisi bir sabataist olan

Karakaş Rüştü ismindeki bir dönmenin mübadele yoluyla gelecekler arasında bulunan dönmelere dikkat çekmek için giriştiği mücadeledir. Bu da günümüze kadar sürecek olan Sabataistliğin Yeni Türkiye Cumhuriyeti'nde yaşanan ilk olay olma özelliğini taşımasıdır.

KARAKAŞ RÜŞTÜ OLAYI

Karakaş Rüştü ile ilgili olarak dönemin gazetelerinden biri olan Vakit Gazetesinde 1924 yılında Karakaş Rüştü'nün kendisinin de bir dönme olmasına karşın yapılması planlanan Mübadele esnasında Türkiye'ye gelecek olan Sabataistler hakkında TBMM ve bizzat Atatürk'e bu dönemde bilgiler verildiği gazete haberinden anlaşılmakta:

"Selanik Dönmelerinin Türklükle ne ilgisi var? Anadolu milli ananelerimizin değiştirilmesinde her zaman öncülük yapan Selaniklilerin, ülkemiz dışında tutulması isteniyor."

Rüştü imzasıyla... Selanik dönmelerinin aslen, ırk ve soy bakımından Türklük, Müslümanlıkla ilgisi bulunmadığından bahsedilerek, bunların Türk toplumu dışında tutulması, veya ülkenin her tarafına dağıtılarak Türk nüfusuyla karışmaya mecbur edilmeleri istenmiştir. Meclis içinde bu durum önemle karşılanmıştır. Bu konu hakkında önemli konuşmalar olmaktadır.

"Dünkü nüshamızla evvelki gece Ankara muhabirimizden gelen bir telgrafa atfen Selanikli Karakaş Rüştü Bey'in kendi mensup olduğu aslen, ırk'en Türklükle alakası olmadığından söz ederek bunların Türk toplumunun dışında tutulması veya ülkenin her tarafına dağıtılarak Türklerle kaynaşmaya mecbur edilmesini istediğini yazmıştık.

Dün bu girişimin Ankara'da yaptığı etkiyle ilgili olarak aşağıdaki telgrafı aldık.

Büyük Millet Meclisi Üyeleri Karakaş Rüştü Bey'in dün bildirmiş olduğum girişimini büyük bir önemle karşıladılar. Bu konu hakkında meclis kulislerinde önemli konuşmalar olmaktadır. Temaslarım sonucunda öğrendim ki, büyük bir kısmı Selanik'ten gelen bu kimselerin memleketimizin büyük iktisadi kaynaklarını kendi ellerine geçirmek istemelerine karşı tedbir almanın gerekli olduğuna işaret etmişlerdir."

BU MÜBADELE NEYDİ VE NASIL GELİŞTİ?

Türk ve Yunan tarafları arasında 30 Ocak 1923'te Türk ve Rum nüfus mübadelesine ilişkin Sözleşme ve Protokol imzalandı. TBMM'nin 23 Ağustos 1923'te onayladığı bu sözleşme, aynı gün yürürlüğe girdi.

Sözleşmeye göre, İstanbul Rum Ahalisi ile Batı Trakya Türk ahalisi dışında, Türkiye arazisine yerleşmiş Rum Ortodoks dininde bulunan Türkiye tebası ile Yunan arazisinde yerleşmiş Müslüman olan Türk asıllı Yunan tebasının 1 Mayıs 1923'ten itibaren mecburi mübadelesine başlanılması kararlaştırılmıştır.

NEDEN MÜBADELEYE GEREK DUYULDU?

Bu mübadeleye sebep teşkil eden bir çok faktör mevcuttu. Bunlardan birisi de Henüz Milli mücadelenin başlamadığı ve Osmanlı İmparatorluğunun işgal yaşadığı yıllarda, Rum Kordos Komitesi veya Rum Muhacirin Cemiyeti'nin yürüttüğü, Rumları göçertme çalışmaları bir düzen ve sistem içinde yürütülmesiydi. Metropolitler çoğunluğu sağlaya bilmek için nereye ne kadar Rum göçertmek gerektiğini hesaplarını yapmaktaydılar.

Dikkate değer bir konu da Rum Terör örgüt üyelerinin "Göçmen" adı altında yerleşimlerinin sağlanmasıdır. Temmuz 1919'da Trabzon'a çoğu silahlı olmak üzere göçmen sıfatıyla 8. 000'den fazla Rum göç ettirilmiştir.

Bu amaçla Yunanistan bir taraftan göçmenlere yardımda bulunurken diğer taraftan da Kordes Komitecilerini doğrudan doğruya destekliyordu. Örgüt Propaganda için Yunanistan İstihbarat örgütünden yüz binlerce lira almış. Atina ve Selanik Bankerleri'de örgüte yardım etmişlerdir. Burada dikkat çekilecek bir konuda bu bankerlerin Yahudi kökenli olmasıdır, İlginç gibi gözükse de bu durum çok uzun bir zaman önce hazırlanmış bir planın tatbikinden başka bir şey değildir. Patrikhanenin göçmen Rumlara yardımı sadece maddi gelir sağlamak şeklinde olmuyordu. Göçmenlere un ve ekmek dağıtılması da Patrikhane tarafından organize ediliyordu.

İtilaf Devletlerinden de destek alan bu göçmenler başta İngiltere olmak üzere giyecek ve yiyecek yardımında bulunuyorlardı ki bunların başında Yahudi kökenli liderler bulunmaktaydı.

İstanbul, Trakya, Karadeniz ve Batı Anadolu'ya yerleştirilen göçmenler hakkında Osmanlı Göçmen Müdürlüğünün 1 Kasım-27 Aralık 1918 tarihleri arasında yerleştirilen Rum göçmenler hakkında verilen bilgide, İstanbul'a gelen Rum Sayısı 6 bin gibi ciddi bir rakamdır.

Bu dönemlere ilişkin olarak göçmenlerin taşınması için İstanbul'da düzenlenen 9 Vapur seferinden 5'inin Trabzon'a yapılmış olduğu dikkat çekicidir. Bunun nedeni ise Pontus bölgesindeki Rum Nüfusun artırılmak istendiğinin işaretini vermektedir ki bu Göçmen Rum sayısı 1919 yılının Ocak ayı başlarında 66.000'e çıktığı görülmektedir.

Osmanlı Göçmen Genel Müdürlüğü'nün Ocak ayı içinde Sezai Tur Vapuru ile 1. 000 Rum'u Ayvalık'a nakletmiştir.

Megalo idea'nın merkezi olan İstanbul'un Rumlaştırılmak istenmesine sebep bir belgede 18 Nisan 1918'de Politis, Yunan Dışişleri Bakanına bir mektup göndererek, Bolşevik Ordusu önünden kaçan on binlerce Yunan Mültecinin Yunanistan'a değil, İstanbul'a gönderilmesini istiyordu.

Yine İzmir'e giren Yunan ordularına Türk topraklarında yaşayan Rumların bu işgali desteklemeleri, Yunanlı askerlerle birlikte Türk köylerini yakıp yıkmaları bu mübadelenin gereklerinden birini oluşturmaktaydı. Bununla birlikte İsrail Devletini kurma planı içinde olanların bu mübadeleyi bir sıçrama taşı olarak kullandıkları da bir gerçektir.

Ülkede ticaretin yoğun olarak ellerinde tutan Rum nüfus ve bunların karşısında ki rakipleri Yahudilerdi. Bu iki milletin dışında Ermenilerde ticaret ile uğraşıyor olsa da bu iki unsur kadar etkili olamıyorlardı. Türkler ticaretle uğraşmadıklarından bu kavganın dışında kalmışlardı. Kendilerine

karşı ciddi bir rakip olarak gördükleri Rum'ların ülke için-
deki bu yanlış tutum ve davranışları Yahudilerin ekmekle-
rine yağ sürmüştü. Arayıp da bulamıyaçakları bu fırsat işte
yukarıda anlatan sebeplere bağlı olarak gerçekleştirilirken,
Selanik'ten gelecek olan Yahudilerinde Anadolu toprakları-
na rahatlıkla geçmesi sağlanmış olmaktadır. Ama bu Ata-
türk Sabataisttir anlamını çıkarmamız gibi bir faktörü orta-
ya koymaz çünkü yukarıda bahsedildiği gibi Karataş Rüş-
tü'nün yetkililerle yaptığı görüşmeler sonunda, Rüştünün
dediği gibi gelen göçmenler ülkenin farklı bölgelerine dağı-
tılmıştır.

Türkiye'ye gelen göçmenlerin yerleştirilecekleri bölgeler
için vekalet bir düzenleme yapmıştı. Buna göre;

1- Tokat ve Çorum, Samsun Bölgesi:

Samsun, Sinop, Ordu, Giresun, Trabzon, Gümüşhane,
Amasya, Tokat ve Çorum

2- Trakya Bölgesi:

Edirne, Kırklareli, Tekirdağ, Gelibolu, Çanakkale, Mani-
sa, Aydın, Menteşe, Afyonkarahisar.

3- Balıkesir

4- İzmir

5- Bursa Bölgesi; Hüdavendigar

6- İstanbul bölgesi;İstanbul, Çatalca, Zonguldak

7- İzmit Bölgesi; Bolu, Bilecik, Eskişehir, Kütahya

8- Antalya Bölgesi; Antalya, Isparta, Burdur

9- Konya Bölgesi;Konya, Niğde, Kayseri, Aksaray, Kırşehir.

10-Adana; Bölgesi; Adana, Antep, Mersin, Silifke, Kozan,
Cebelibereket, Maraş, Ankara, Yozgat, Sivas, Malatya, Kas-
tamonu merkezden idare olunacaktı.

İlk kafile Mytilene' den Ayvalık'a gelen 8. 000 kişiydi.
Bunu 24 Kasım'da Girit'den gelen 15. 123, Bahr-i cedid va-
puru ile gelen 1. 027, Giresun Vapuru ile gelen 2. 243, Sakar-
ya vapuru ile gelen 3. 212, Arslan vapuru ile gelen1. 437 yol-
cu izledi. Bu yolcular arasında bulunan iki bin beş yüz dön-
mede ülkemize giriş yapmıştı.

Görüldüğü gibi hükümet, Meclis ve Atatürk 'te Karakaş Rüştü'nün bu uyarılarından etkilenmiş olacaktır ki bu yerleşme planı yukarıdaki şekilde düzenlemek suretiyle uygulanmıştır. Ama daha sonra bu yerleştirildikleri bölgelerden ayrılar Sabataistler büyük şehirlere doğru yönelmişlerdir. Bunlar; İzmir, İstanbul, Bursa, Manisa, Muğla... gibi şehirlerdir. Bu göçlerde o dönemdeki ismi ile Hilal-i Ahmer yani Kızılay Derneği tarafından organize edilmekteydi.

ATATÜRK GERÇEK BİR DİNDARDI

Atatürk'ü dinsizmiş ya da din düşmanıymış gibi ortaya koymaya ve bu fikri yaymaya çalışanların tek bir kaynak ve tek bir siyasi görüşle sınırlandırılması pek tabi yanlış olacaktır. Öyle ki yıllardan beri tekrar tekrar söylediğim gibi Atatürk'ü kendi fikir ve düşüncesi içinde sorgulayan ve o şekilde yayan ideolojilere ek olarak birde Atatürk'ü kendine zırh olarak kullanarak düşünce, fikir ve çıkarlarına alet edenleri eklediğimizde gerçek Atatürk kimliğini bulmakta güçlük çekeceğimiz kesindir.

Yine bu konuya örnek teşkil ettiği için Büyük Doğu'da çıkan yazıların birinde olayı "Dedektif X "adıyla yazan üstat Necip Fazıl Kısakürek'in sözlerine bakalım...

ATATÜRK'ÜN 'TÜRKÇE DİN' FİKRİ

1- Sene 1931... Ramazanın biri... O, Ankara'dan, İstanbul'a geldi.

2- Aynı günün akşamı, Hafız Yaşar Okur isimli zatı telefonla Dolmabahçe Sarayına çağırdılar. Tabi bu zat, davete bileti büyük ikramiye kazanmış bir işsizin şevk ve neşesiyle koştu.

3- O, eski Maarif vekillerinden Reşit Galip ve Bay hafıza soruldu.

- Yaşar Bey, Ramazanda hangi camilerde mukabele okuyorsunuz?

-Yerebatan camiinde paşam!

Emir verildi:

-Yarın, Yerebatan Camiinde Kur'an-ı Türkçe olarak oku-
yacaksın! Sabahki gazeteler de bu işi ilan edecek...

Bay Hafız'ın kendi notu:

"...ün, Türkçe Kur'an mevzusunda yapmak istediği in-
kılap tahakkuk sahasına giriyor demekti. Uzun zamandan
beri Türkçe tercümesi hazırlanan Kur'an-ı Kerimden bazı
parçaları Türkçe olarak okutur, hatta bazı yerlerinde hatala-
ra işaret ederek tashih edilmesi lüzumuna işaret eylerdi."

Burada bir parantez açarak bu konunun bizzat şahitle-
rinden olan Granda'nın din mevzusunda Atatürk'ün zorla-
yıcı olmayıp olabildiğince makul davrandığına şahit ol-
maktayız. Granda şunları söylüyor:

"Ezanın Türkçe okunmasının kararlaştırıldığı sırada din
adamlarıyla, hafızlarla çeşitli görüşmeler yapılmış, onların-
da düşünceleri alınmıştı. Ezandaki tüm Arapça sözcükler
atıldığı halde "Haydi Felah"ın nasıl değiştirileceği tartışılı-
yor, fakat kimse bunun karşılığını bulamıyordu. Felah kur-
tuluş anlamına geliyordu... Kurtuluş denince hemen akıla
İstanbul'da Rumların çoğunlukta bulunduğu semt akla ge-
liyordu. Son çare olarak Atatürk'e baş vurdular ve Atatürk
görüşleri dinledikten sonra;

"Bu da Felah kalsın" diye olayı çözümler.

4- O gece, yani Ramazan'ın ilk gecesi, Hafız Yaşar, saba-
ha kadar huzurda kaldı. Huzurun çerçevesi, üstünde ne ye-
nip, ne içildiği malum bir sofradır; ve işte bu sofra da güya
din konuşulmakta, yahut dine belli başlı bir muamele tatbik
edilmektedir.

5- Ertesi gün, kadınlı erkekli binlerce kişi, yahut binlerce
gafil, camiin içinde ve önünde toplanmış vaziyette... Hafız,
güç halle içeriye girer ve bir köşede, üstü şallarla örtülü
kürsüye doğru yürür.

6- Hemen aynı zamanda, camiin önünde muhteşem bir
otomobil durur. Geleni o zanneden halkta heyecan ve kay-
naşma... Halbuki gelen Maarif Vekili Dr. Reşit Galip ve

hangi işlere memur bir mebus olduğu resmen bilinmeyen Kılıç Ali'dir.

Maarif Vekili emreder:

-Buyurun Hafız Bey; Çıkın Kürsüye!

Ve Hafız kürsüye çıkar. Kendi tabiriyle "Evvela Arapça olarak" Besmele çeker ve arkasından Arapça olarak Yasin suresini rast makamından okur. Sonrada Türkçe tercümesini aynı makamla okumaya başlar.

Hafız'a göre halk şöyle bağırmıştır:

"Allah razı olsun! Tanrı'nın emirlerinin mahiyetini öğrendik. Gazi Paşa'ya minnettarız. Büyük dahiyi Allah başımızdan eksik etmesin!"

7- Aynı günün akşamı yine huzur... Hafız'a vaziyeti anlatması emrediliyor. Hafız başından sonuna kadar anlatıyor. Kendi tabiriyle "Çok memnun ve mütehassıs oldular. Beni yemeğe alıkoydular."

8- Hafız bu kadarıyla kalmıyor. Yerebatan caminin pek küçük olduğunu, halkın ayakta kaldığını, bu muazzam inkılaba büyük bir camii tahsis edilmesini istiyor. Ricası, Nasrettin Hoca'nın Timur'dan bir de dişi fil istemesindeki ince nükteye eş, fakat tamamıyla ayrı ve zıt bir mevzuda, hemen kabul olunuyor. Gelecek tecrübenin Sultanahmet caminde icrası emrolunuyor. Üstelik okuyucu kadrosunun da genişletilmesi için şu emir veriliyor;

-Hafız Bey! Bu işi başarabileceklerine emin olduğunuz arkadaşlar kimlerdir?

Derhal listesi takdim olunuyor;

Beşiktaşlı Rıza, Süleymaniye Müezzinbaşısı Kemal, Sadedin Kaynak, Sultan Selim'le Rıza, Fahri, Muallim Nuri, Zeki, Burhan ve kendisiyle beraber 9 hafız...

Emir;

"Yarın akşam bu arkadaşlarınızla gelin"

9- Ertesi akşam hepsi birden huzurda... Prova ve tatbikat... Bundan sonra ilk Cuma günü Sultanahmet camiinde yapılacak merasim hakkında talimat...

11- Ramazan'ın ilk haftasına tesadüf eden Cuma... 9 Hafızın hep bir ağızdan "Tanrı uludur!" diye, kendi tabirleriyle "Tek bir"leri... Ve sırayla Türkçe yükselen sesler... Akşamı 9'u birden huzurda... Hafız Yaşar'ın tabiriyle halk denenmiş ve eski müspet netice alınmıştır. Yine malum çerçeve ve Bayram namazının Tekbirleri için tespit edilen Türkçe şekiller...

Hafız Yaşar'ın bizzat kendi notu:

"...Türkçe Ezan, Türkçe Kur-an, Türkçe Hutbe ve Türkçe Tekbirle dinde bir inkılap yapmak istiyordu. Bu inkılabıyla, mukaddes mihrabı, cehlin elinden alıp, ehline vermeyi de sağlamış olacaktı şüphesiz..."

10- Bir yıl sonraki Ramazan ayında (1932) bu defa Ayasofya camiinde yine aynı tecrübe... 9 Hafız... Vaziyet radyoyla saraydan takip ediliyor. Hafız baylar; vazifeleri biter bitmez, saray sofrasında mevkilerini alıyorlar.

11- Sene 1933... Hafız Yaşar, Evkaf müdürlerinden Sait Beyin imzasını taşıyan bir davet tezkeresi alıyor. Evkafa gidiyor. Hatırında kaldığına göre günlerden Pazartesidir. Sait Bey, Diyanet İşleri Reisliğinden gelen bir mektubu kendisine uzatarak muallim tayin edildiğini bildiriyor. Bay Hafız, "Türkçe Ezan" işi için Süleymaniye Camiinde açılacak kursa muallim tayin buyrulmuştu.

12- Sene 1934... Hep aynı sabit fikir ve değişmez hedef... Hafız Yaşar'a Gülcemal vapuru ile Çanakkale ye gitmesi ve Şehit Mehmetçik abidesinde aynı "Türkçe"leri tekrar etmesi emrolunuyor. İstanbul Müftüsü Hafız Fehmi Efendi de beraber... Müftü, zaten bir çok tecrübede, mesela Ayasofya tecrübesinde de hazır ve hem huzuru hem de sukutuyla bu işin cevazına kaildir. Vapurda kaptan kulesini çınlatan ezanlar; ve güvertede okunan, kendi tabirleriyle Zamm-ı şerifler... Ve şehit Mehmetçiğin başında, makam üstüne makam oyunlar ile gösterilen marifet... Şehit Mehmetçiğin başına gelenler...

13- Yukarıdan beri gelen 12 madde, içine hiçbir fazlalık karıştırılmadan, yalnız kendi kıymet hükmünün nakil üslubuna büründürülerek. Bay Hafızın bundan kaç yıl evvel çıktığını bilmediğimiz "Bütün Hafta" isimli bir mecmuaya hitap edici sözlerinden alınmıştır. Elimize bir bakkal dükkanının okkalık kağıtları arasında geçmiştir

Oysaki Mustafa Kemal Atatürk aşağıda da anlatılacağı gibi din kavramının bir düşmanı olmayıp İslam dininin ve onun peygamberinin de her zaman yanında olmuştur. Ondaki Allah kavramı şöyledir:

"Allah, saygı göstermeye mecbur tuttuğu insanların esasen yüce vicdanındaki gerçek ihtiyaçlarını hakikiyesini tamamen bilir. Bunun için gönderdiği kitap tamamen o ihtiyaca uygun hükümler getiren bir kitaptır. Ve efendiler, ilmi hakikatin en son emrettiği kanun böyle olabilir. Taklit ile kanun olamaz, kanun toplumun yapısına uygun olması lazımdır. Kanunların doğal olması lazımdır. Yani ilahi kanun olması lazımdır."

Bu sözler kainatın yaratıcısının varlığını bildiğini ortaya koymaktadır. Yine bu bildiği yaratıcının dünyaya gönderdiği bir Peygamber olduğunu da dile getirmektedir: "Hz. Muhammed, Allah'ın birinci ve en büyük kuludur. Onun izinde bugün milyonlarca insan yürüyor. Benim, senin adın silinir. Fakat sonsuza kadar o ölümsüzdür." Bu sözlerin ne anlama geldiğini İslam diniyle şereflenmiş olanlar daha iyi bileceklerdir. Bu kelime-i şahadet getirmeden başka nedir? Atatürk mensubu bulunduğu bu yüce Türk Milletinin yozlaşmış beyinlerin elinden çıkarmak suretiyle dinin tüm halk kesimince anlaşılması için çaba harcamıştır. Yine; "Türk Milleti daha dindar olmalıdır, yani bütün sadeliği ile dindar olmalıdır demek istiyorum. Dinime, bizzat gerçeğe nasıl inanıyorsam, ona da öyle inanıyorum. Bilince ters, ilerlemeye engel hiç bir şey kapsamıyor. Halbuki, Türkiye'ye bağımsızlığını veren bu Asya Milletinin içinde daha karışık, suni, boş inançlardan ibaret bir din daha vardır. Fakat bu cahiller, bu güçsüzler sırası gelince, aydınlanacaklardır. Onlar aydınlığa yaklaşamazlarsa, kendilerini yok ve mahkum etmişler demektir Onları kurtaracağız. "Bizim dinimiz, milletimize aşağılık, miskin ve hor görülmeyi tavsiye etmez. Aksine Allah da, Peygamberler de insanların ve milletlerin yücelik ve şereflerini muhafaza etmelerini emreder."

Yukarıdaki sözlerden de anlaşılacağı üzere İslam dini ile bir problemi olmadığı gibi diğer mukaddes dinlerle de bir problemi olmamış olan Atatürk; "Camilerin kutsal minberleri halkın ruhi, ahlaki gıdalarına en yüksek, en verimli kaynaklarıdır. Minberlerden halkın anlayabileceği dille ruh ve düşünceye hitap olunmakla Müslümanların vücudu canlanır, düşünceleri temizlenir, imanı kuvvetlenir, kalbi cesaret bulur. Fakat buna karşılık hutbe okuyanların sahip olmaları gereken ilmi nitelikler; özel liyakat ve genel kültüre sahip olmaları önemlidir. "

"Bizim dinimiz akla en uygun ve en tabii bir dindir. Ve apaçık bundan dolayıdır ki son din olmuştur. Bu dinin tabi olması için akla, fenne, ilime ve mantığa uygun olması lazımdır. Bizim dinimiz bunlara tamamen uygundur. Müslümanların toplumsal hayatında, hiç kimsenin özel bir sınıf olarak varlığını korumaya hakkı yoktur. Kendilerinde böyle bir hak görenler dini hükümlere uygun hareket etmiş olmazlar. Bizde ruhbanlık yoktur. Hepimiz eşitiz ve dinimizin hükümlerini eşit olarak öğrenmeye mecburuz. Her kişi dinini, din işlerini, imanını öğrenmek için bir yere muhtaçtır. Orası da okuldur."

Uzun yıllar hizmetinde bulunan Granda bu konulara neredeyse son noktayı koyuyor. Granda kitabında şunları söylüyor;

"KİMSE ONUN GİBİ GÜZEL 'ALLAH' DİYEMEZ"

Din konusunda Atatürk'ün tam anlamıyla laik olduğu söylenebilir. Kimsenin inancına karışmaz, dindar kişilere saygı gösterir, yobazlara, softalara çok kızar, din kavramının sömürülmesine izin vermezdi. Allah ve Peygamber konuları, Atatürk'ün yanında tartışma konusu yapılamazdı.

Bir gece sofra da peygamber üzerine bir konu açılmıştı. Atatürk bu konulardan sıkıldığını belli etti. Elini masaya indirerek;

"Bu bahsi kapatın... Peygamberleri küçültmek isterseniz, kendiniz küçülürsünüz." dedi.

Konuşmalarında din sorununa değindikçe ciddileşir, adeta kendine çeki düzen verirdi. Bu konu da düşüncesini açmazdı.

Cumhuriyetin ilanından sonra din ve devlet işlerini birbirinden ayırınca rahat bir nefes almıştı. Laikliği çevresindekilere aşılamayı başarmıştı. Benim yanında bulunduğum süre içinde hiç namaz kılmadı. Oruç da tutmadı. Ramazan da içki içer; fakat Kadir gecesi ağzına katresini koymazdı. Kadir geceleri sofra bile kurdurmazdı. Saygısı büyüktü. Bazen Mevlit dinlediği de olurdu. Sofrada Hafız Yaşar Bey'in Mevlidini saygıyla dinlerdi. Mevlidin Miraç bölümünde "Göklere çıktı Mustafa" denince gözleri yaşarırdı. O zaman hemen kolonya götürürdük. İnanışı samimiydi...

Bence Allah'a inanıyordu.

Öyle "Allah" derdi ki yalnız kalınca, onun gibi kimse diyemez. Herkes çekilip yapa yalnız kalınca gökyüzüne bakar, kendi kendine "Allah" derdi.

Böyle güzel "Allah" diyen adam yoktur.

Atatürk'e geri kafalı softalar, yobazlar "Dinsiz" demişlerdi. Oysa kasıtlı olarak yapılan bu yakıştırma düpedüz bir iftiradan başka bir şey olmamıştır.

Siyonist İsrail Devleti'nin bu oyununa alet olanlar da bu ülkede az değildir. Genellikle tarikat liderleri ve kendini dindar kabul edenler her nedense otomatik olarak Atatürk düşmanı olma zorunluluğu varmış gibi gözükür ya da biz böyle algılarız, ne kadar yanlış bir durumdur. Birlik ve beraberliğe ihtiyaç duyduğumuz şu günlerde artık bazı gerçekleri görüp kabul etmemiz gerekmez mi?

SONUÇ

Aslında böyle bir kitabın sonucu olmasını beklemek oldukça yanlış. Çünkü içinde anlatılanlar ve ülkemizin içine sokulmak istendiği şu vahim durum, Cumhuriyetimizin henüz huzur ve refah içinde olmadığının açık delilidir.

Gayemiz ölmüş olan bu insanların arkasından aleyhleri ve lehlerinde konuşmak ve yazmak değildir. Ulu önder Atatürk ve onun Yüce Milleti ve bizlerin atası olanların, kanları ve canlarıyla hediye ettikleri bu kutsal yurt topraklarını, gelecek nesillere en iyi şekilde emanet etme mücadelesidir.

Artık bu ülkede bir şeylerin değişmesi gereklidir. Yurt dışından aldıkları talimatlar ile faaliyet gösteren dernek, vakıf ve şahısların, kendi asıllarına dönme zamanı gelmiş ve geçmiştir.

Biz her son bulan çalışmamızla yeni bir dosyanın gündeme getirilmesi için yılmadan, yorulmadan, Atalarımızdan ve vicdanımızdan aldığımız güçle enerjimizi bu yüce Türk Milletinin yüceltilmesi için harcayacağız.

AYRINTILAR IŞIĞINDA GERÇEKLER

ATATÜRK'ÜN YAKIN HİZMETİNDE BULUNANLAR

Atatürk'ün yakın hizmetinde bulunan Cemal Granda, "ATATÜRK'ÜN UŞAĞI İDİM" adlı eserinde, sf. 40-41 de Atatürk'ün mahiyetinde olanların isim listesi olarak şunları veriyor:

BAŞYAVERLER; Rüsuhu savaşçı, ikinci yaver, Sami Bey, Üçüncü yaver, Celal Üner, yine ikinci yaverlerden Naşit, Şükrü, Cevdet Bey'ler

UMUMİ KATİP; Tevfik Bıyıklıoğlu, Hasan Rıza Soyak

ÖZEL KALEM MÜDÜRÜ; Sabit Bey, Özel Kalem Müdür Yardımcısı ve Kütüphane Memuru, Nuri

BAŞSOFRACI; İbrahim Ergüven, Cemal Granda, Hüseyin, Ali, Necami, Ali Bebek, Ahmet, Nuri

ODACILAR; Ekrem, Suat, İki Tahsinler, Hüseyin, Mustafa

ŞOFÖRLER; Abdullah, Sait, Remzi Birol, Abdullah öldükten sonra Remzi Efendi Başşoför oldu. Ayrıca Rauf Kızılkaya, Niyazi adlı iki şoför daha vardı. Atatürk'ün emrinde 8 (sekiz) şoför görev yapıyordu.

DOKTORLAR; Kemal, Celal Tahsin Necmi, Baki Reis

BERBERLER; Mehmet ve Rıdvan

POLİSLER; Komser Kemal Bey, Yalova Güney Köylü Ha-

lit Bey, Balıkçı Hikmet, Faik İmdat ve Ragıp KADIN HİZ-
METCİLER; Ülfet Hanım, Ülkü'nün annesi Selanikli Vasfi-
ye Hanım, Yugoslav göçmeni Sarışın Fatma Hanım

DİĞER HİZMETKARLAR; Bekir Çavuş, Arap Nesip
Efendi (kapıcıbaşı), Sofracı Recep'in oğlu Küçük Recep ola-
rak verilmektedir.

KRONOLOJİK HATALAR

Burada bir şeye de dikkat çekmek istiyorum. Yaptığım
araştırmalar sırasında dikkatimi çeken iki konu daha oldu.
Bunlardan ilki, Atatürk hakkında yazılan eserlerin 1950 yı-
lından sonra bir önceki yıllara oranla artış göstermesi ve bu
kitaplar içinde oluşan Kronolojik ve teknik hataların var ol-
masıdır.

Bununla birlikte bu tarihte yayınlandıkları yayınla kala-
rak bir daha basılmamış olması maalesef konuyu araştır-
mak isteyenlere zorluk çıkarmaktadır. Bu kitapları yayın
haklarını ellerinde tutanlara buradan ricam bu değerli eser-
leri gerekli düzeltmeler yapıldıktan sonra bir daha basılma-
larını sağlamalarıdır.

Tekrar bir daha basımı olmadığı ve gerekli uyarılar ya-
pılmasına karşın düzeltilmesi mümkün olmayan birbirin-
den ayrı ve kıymetli bu eserleri okuduğunuzda bu hataları
dikkatli bir gözün dışında kolaylıkla görülmesi mümkün
olmayabilir. Bu da bugün yanlış bilgilerin devamı olacaktır
ki bu durum kimlerin işine gelir iyi düşünmek gereklidir.

Ben de bu konuyu ilgililerin dikkatine çekmekle beraber
düzeltmelere ilave olması bakımından bir kaç örnek ver-
mek istiyorum. Çünkü Atatürk ile ilgili araştırma yapmak
isteyenlerin sağlıklı ve doğru bilgi üzerinde olayı takip et-
mesi okuyucuyu bizim de farkına varamadığımız bazı ger-
çeklerle yüz yüze getirebilir diye düşünüyorum.

Örneklerden ilki, Atatürk'ün tedavisini uzun yıllardır
sürdüren ve son anlarında da yanında bulunan, Prof. Dr.
Neşet İrdelp'in ilk kez Atatürk'ün tedavisinde bulunduğu
tarih hatasıdır.

Bu hata belki de bu yıllardaki maatbanın bugünkü gibi gelişmediği düşünüldüğünde normalde karşılanabilir. Buna göre;

Prof. Dr. Bedi Şehsuvaroğlu'nun "ATATÜRK'ÜN SAĞLIK HAYATI" adlı eserinin, sf 11'de olay şöyle anlatılmaktadır:

"... Ancak bu olaydan haberdar olan Hükümet 13 KASIM 1924'de Dr. Neşet Ömer Bey Ankara'ya çağırmıştır."

Atatürk'ün geçirdiği bir kalp krizi sonucu tedavisi için Ankara'ya çağrılan Dr. Neşet Ömer'in geliş tarihi 13 Kasım 1924 olarak gösterilir, Kılıç Ali'nin "Son Günleri", sf. 7'de)

"Reisicumhur Hazretlerinin nahiye-i kasabiyede (Göğüs kemiği arkasında) hissettikleri elemin (Ağrının) mahiyetinin (Ne olduğunun) tayin ve tedavisi için 13 Teşrisani (Kasım) 1923'de Ankara'ya davet edildi. (Bedii, a. g. e. sf. 11)

Aynı sayfa içinde ve alt alta verilen bilgide, yılın 1923 mü yoksa 1924 mü olduğu kesin değildir.

Burada bize doğru bilgiyi, bu tedavi amacıyla geldiğinde bir rapor hazırlayan Neşet Ömer İrdelp, vermektedir. Atatürk'ün tedavisinde bulunduktan sonra hazırladığı raporda, rapor tarihini, 02. 02. 1340/15 Şubat 1924 -yani yıl olarak da, 13 Kasım 1924 tarihi doğru olarak çıkmaktadır.

Bunlara yine bir örnek verecek olursak, aynı eserde (Bedii Şehsuvaroğlu, a. g. e.) Ruşen Eşref Ünaydın'ın, Prof. Dr. Nihad Reşad Berger'le yaptığı mülakat'ta; 1 Haziran 1938 tarihinde, (Atatürk bu tarihte Savarona yatına geçmiştir ve yaklaşık olarak 45 gün de bu yat içinde kalmıştır.) Belger tarafından "Müsvette olarak kaleme alınmış olup o günlerdeki tedavi ve rejim tarzları ile bir de reçete metnini kaydeden bu kağıdı... Onun için o kağıdı bu fasıla ekliyorum." (sf. 24) 1 Haziran 1938 tarihli reçetenin Türkçesi, sf. 25'te eski yazısı ise bu kitapta yer almaktadır. Reçetenin altında ise; "1 Haziran 1938 tarihinde Dr. Nihat Reşat Belger tarafından yazılan tedavi programı ve reçetenin tıpkı basımı" denilmektedir. Fakat Bedii Şehsuvaroğlu'nun kitabında bunun Yalova'da yazılmış bir reçete olarak gösterilmektedir.

Cemal Granda, a. g. e. sf. 374-378
22 Ocak 2002-Milliyet Gazetesi
Granda, a. g. e. sf. 222-223
Granda, a. g. e. sf. 58-61

TÜRKİYE'DE TIBBIN GELİŞİM ÖZETİ

Memleketin sıhhi şartlarını ıslah ve milletin sıhhatine zarar veren bütün hastalıklar veya sair muzır amillerle mücadele etmek ve müstakbel neslin sıhhatli olarak yetişmesini teminve halkı tıbbi ve içtimai muavenete mazhar eylemek umumi devlet hizmetlerindendir.

Atatürk'ten sonra gelen Cumhuriyet Hükümetlerinin çözmekte sorun yaşadığı ve henüz tam olarak da çözmeyi başaramadığı bir çok konudan biri de insanlarımızın sağlık problemleridir.

Her hükümet programında yer alması bu sorunların çözümü anlamına gelmiyor. İnsanlarımızın sağlığını bozmak isteyen insanların ya da onların uzantılarının kontrollü ve programlı şekilde bu konunun çözümlenmemesinde gösterdikleri gayreti eğer çözüm için kullansaydılar, bugün bu yazılar yayınlanmamış olacaktı. Öncelikle geçmişe kısa bir yolculuk yapalım.

Türk tıbbı Orta Asya ve Arap tıbbından etkilenerek bir gelişim göstermiş, 1217'de Sivas'ta, 1308'de Amasya'da kurulan hastanelerde hekim yetişmeye başlamış, Amasya Hastanesi daha sonra bir tıp eğitim merkezi olmuştur. 1388'de Bursa'da açılan Dar-üt-tıb, Fatih Döneminde de (1500) Edirne'de açılan hastanede hekim yetiştirilmeye başlanmıştır. Bu ve izleyen dönemlerde hekim sayısı az ve hekimler üzerindeki baskı da yoğun olmuştur. Örnek verecek olursak; IV. Murat'ın hekimbaşısı Emir Çelebi dönemin hekimlik uygulamaları ve felsefesi hakkında çok değerli eserler yazmıştır, ancak IV. Murat bir satranç oyunu sırasında, onun üstünde ele geçirdiği afyon haplarının hepsini yutturarak öldürmüştür. 18. yüzyılda Padişah III. Mustafa, Türk hekimlerini, baktıkları meşhur bir şahsiyet kurtarılamazsa, sürmek veya memuriyetinden atmak yolunu tutturduğundan bu topraklarda yabancı hekimler rağbet görmeye başlamış, yerli hekimler sindirilmiştir. Bu da sonuç olarak Yahudi ve Rum doktorların gündeme gelmesini sağlamıştır.

1827 tarihi tıp eğitimi dolayısıyla çağdaş hekimlik için önemli bir tarihtir. O yıl İstanbul'da "Avrupa usullerinde" hekim yetiştirmek üzere bir tıp okulu açılmıştır. 1838'de Cerrahhane açılmış, aynı yıllarda 2. Mahmut çiçek aşısını zorunlu kılmıştır.

Yıkılan Osmanlı İmparatorluğu'ndan 2000'den az sayıda hastane yatağı 1000'in biraz üzerinde hekim devralınmıştır. Türkiye'de 1923 yılında 950 yataklı üç devlet hastanesi vardır. 1924 yılında Ankara, Diyarbakır, Erzurum, Sivas Numune Hastaneleri açılmıştır. Sağlık altyapısı bozuk, teknolojik destek yok, hasta ise çoktur.

1920-25 arası hekim sayısındaki azlık nedeniyle milletvekili hekimlerin bile fiilen hastanelerde hasta hizmeti verdikleri biliniyor. Savaş sürerken de hekimler hizmetten bilimsel çalışmalardan geri kalmamışlardır. Örneğin; 17 Ekim 1921 tarihinde Abdülkadir Noyan, Tevfik İsmail gibi hekimler Ankara'da Öğretmen Okulu Hastanesin de bir toplantı yapıp "Gülhane Müsamereleri"ni başlatmışlar, Vekil Rafet Paşa toplantıyı açmış ve Gülhane müsamereleri yıllarca düzenli olarak sürmüştür.

Yukarıda da kısaca özetlendiği gibi ülkemizdeki doktorlar ve bilgileri yetersiz görmek çok yanlış olacaktır. Üstelik daha da ileri giderek şunu rahatlıkla söylemek mümkündür bugün de olduğu gibi dönem içinde de Dünya çapında meşhur doktorlarımız ve Farmakoloklarımız vardır.

İLAÇ SEKTÖRÜ

Atatürk'e verilen ilaçların bir kısmı bir önce ki kitabımızda da anlatıldığı gibi yurt dışından temin edilmişti. Bunun yanında ülkemizde bu yıllarda faaliyet gösteren eczaneler aracılığıyla da bu ilaçların temini yoluna gidilmiştir. Bunlardan birisi de "İstanbul Eczanesi" dir. İlk kitabımızda bu ilaçların eczahanede hangi tarihte ve hangileri olduğuna varıncaya kadar detaylı bir şekilde (Tam liste) verilmek suretiyle Türk kamuoyunu bu belgelerden faydalanmaya çağırmıştım. Bununla birlikte Cumhuriyetin kurulmasından günümüze kadar süre gelen sağlık ve ilaç problemi devletimizin en önemli gündem maddelerinden birini oluşturmaya devam etmektedir. Aşağıda da anlatılacağı üzerine bu problemlerin günümüzde değil geçmiş yıllarda da yaşanmış olması ve bunların günümüze kadar çözümlenememiş olması manidardır. Konuya ilişkin güzel bir kitap hazırlayan Prof. Dr. Turhan Baytop, Türkiye'deki ilaç yapımına ilişkin şunları söylüyor:

"Türkiye'de ilaç yapımının hangi tarihte yapıldığı bilinmiyorsa da Noel Canzuch tarafından 1833 yılında Beyoğlu semtinde açılmış olan İngiliz Eczanesi (Pharmacia Britannigue) bu konu da öncülük yapmıştır.

1890'lı yıllarda ise; Andre Lefaki (1842-1894), Artin Merhamedjian, Louis Mananti, Nicolas Apery (1802-1884) Photius Selavo ve Sophocle Castoriades eczanelerinde müstahzar ilaç halk sağlığına sunulmuştur."

Yukarıda verilen isimlerden de anlaşılacağı üzerine Türkiye'de müstahzar ilaç yapımı Türk olmayanların elindeydi.

Buna karşılık Türk eczacılarının hazır ilaç yapımı, Ecz. Hamdi Bey tarafından Zeyrek semtinde 1880 yılında açılan "ECZANANE-İ HAMDİ" tarafından üretilen; kola Hamdi, Elixir Digestif Hamdi, Kefir, Ligueur de goudron, Dermoghile, Sirop iodotannigue phosphate üretimiyle başlamıştır. Bunu daha sonra; Ecz. Ethem Pertev'in Pertev Şurubu, Ecz. Beşir Kemal'in Beşir Kemal Sübyesi, Ecz. Ali Süreyya'nın İksir-i Süreyya vb. izlemiştir.

Hazırlanan ilk ilaçlar genelde üreticisinin ismi ile anılırken, şurup, şarap, iksir, hap ve merhem gibi yapımı özel bir bilgi ve teknik istemeyen basit preparatlardan oluşmaktaydı.

İlk enjeksiyon ampulleri Hasan Rauf tarafından 1900 yılında açılan "İstikamet Eczanesi"nin laboratuarında üretilmeye başlanmıştı. Buna Şark İspençiyari (1903); Alfa Ampulleri ve Mustafa Nevzat Ampulleri izlemiştir.

İstanbul'da Komprime imalatı "Eczahane-i Hamdi"de başlamıştır. Hamdi Bey, eczanesinde toz ilaçları komprim getirdiğini Tercuman-ı Hakikat gazetesine bir ilan vererek duyurmuştu.

Türk eczacılığı ve ilaç sanayinin gelişmesi, 1927 yılında 694 sayılı "Eczacılar ve eczahaneler hakkındaki kanun" ve 1928 yılında da "İspençiyari ve Tıbbi Müstahzarlar Kanunu" ile mümkün olmuştur. Bu kanunların çıkması için mücadele veren Dr. Refik Saydam dönemin Sağlık Bakanı iken Dr. İ. Asım Arar'da Sağlık Bakanlığı Müstaşarlığı'nda bulunmaktadır.

İlk ilaç üretimi laboratuvarları, genelde tümü iş hanlarının içinde yer almaktaydı. Bunların içinde ilk özel ilaç laboratuvarı kurmayı başaran, Ecz. Kadıoğlu Mehmet Enver (Batur) tarafından kurulmuş olan "KADIOĞLU MEHMET ENVER (BATUR) MÜSTAHZARAT LABORATUVARI"dır. 1930'lu yıllara gelindiğinde, yerli ilaç üreticileri, yabancı, ilaçların Türkiye'ye sokulmasını istememekte ve mevcut olan ilaçların kendileri tarafından üretilebileceklerini iddia etmeye başlarlar bu konu da Şark Merkez Ecza Deposu'nun sahiplerinden biri olan Hasan Derman 1931 yılında yayınlanan "Dertlerimiz ve sebepleri" isimli yazısında bu konuya ilişkin şunları söylemekte:

"Bugün eczacılığın havanı durmak üzeredir. Dünkü, infüsion, decoetion, emulsion, electuer, pommade, cachets ve pilules yerine hem de % 60'tan fazla bir nispette, elimizi kirletmeyen, kollarımızı yormayan ve fakat bize ekmek yedirmemeye azmetmiş olan rengarenk etiketli, şatafatlı garp müstahzaratı kaim olmuştur.

Bu istila on sene evveline kadar bu nispette değildi. Yirmi sene evvel hemen her şey (çok az) idi. Bugün %10-15 kazançla iktifa eden eczacı, on beş sene evvel halktan daha az para alarak % 50 hatta %100 temin ediyordu.

İşte eczacıyı "Arpacı Kumrusu"gibi düşündüren, atisini tehdit eden mühim amillerden biri ve belki başlıcası..." demektedir.

Bu dönemin genel bir fotoğrafını çeken Derman'ın haklılık payı yok değildir.

23 Şubat 1930 tarihinde "Etibba Muhadenet Cemiyeti"nin yerli ilaç yapımını incelemek için bir rapor hazırlanmasına neden olan bu olaylar bu yıllarda cereyan etmiştir.

Bunun sebebi de yerli ve yabancı ilaç rekabeti önceleri "Majistral ilaç" ile "Müstahzar ilaç" arasında başlamış ve zaman içerisinde, yerli müstahzar ile yabancı müstahzar rekabetine dönüşmüştür.

Yerli müstahzarlar ucuz olmalarına karşın halk ve hekimlerin gerektiği kadar beğenisini kazanamamış, yabancı müstahzarlar daima yerli müstahzarlardan daha çok tutunmuş... 1930 yıllarında bu rekabet en yüksek seviyeye çıkmıştır. Bu olumsuz tabloyu ortadan kaldırabilmek için 23 Şubat 1930'da "Etibba Muhadenet Cemiyeti" toplanarak aşağıdaki kararları, cemiyet başkanı olan Dr. Tevfik Salim Paşa bir rapor halinde sunacaktır. Buna göre;

1- Tentürler ve ekstreler gibi galenik ilaçların tamamen memleketimizde yapılması mümkün ve lazımdır. Bu ilaçların Avrupa'dan ithali men edilmeli ve eczacılar cemiyeti bu işle ehemmiyetli surette meşgul olmalıdır. Emniyet ve fiyat itibariyle bunların ihtiyacı tatmin etmesi ve cemiyetin kontrolü altında bulunması zaruridir. Bunun için Eczacılar cemiyeti tarafından bir merkez tahlil labarutuvarı yapılmalıdır.

2- Komisyon şimdilik Türk eczacılığının spesialite denilen tıbbi müstahzarat imaliyle uğraşmasına taraftar değildir. Eczacılık sanatının bi hakkın terakkisi için evvela küçük ve basitlerden başlanarak tedricen faaliyeti tevsi etmek ve ancak büyük imalathaneler vücuda getirdikten sonra müstahzaratı tıbbıye'de yapmak muvafık olur.

3- Milli imalatçıların numuneleri polikliniklere gönderi-
lerek tecrübe edildikten sonra piyasaya çıkarılmalıdır.

Bütün bu olumsuzluklara karşın Cumhuriyet dönemi-
nin ilk yıllarından itibaren yerli üretim laboratuarı ve ilaç
miktarında artışlar devam etmiştir.

Hasan Derman'ın bahsettiği diğer bir konu da yerli ve
yabancı müstahzaratlar arasındaki satış fiyatlarındaki fark-
lardır.

ADI	Fiyatı	
Yabancı	Apiolin (Chapoteaut)	125
Yerli	Apiol	30
Yabancı	Corizal	60
Yerli	Corricide (Beşir Kemal)	30
Yabancı	Dıgıtalin (natiuel	100
Yerli	Dıgıtalin (Nevzat)l	70
Yabancı	Enos Meyve Tozu	190
Yerli	Mazon Meyve Tozu	100
Yabancı	Goubron (Guyot)	75
Yerli	Goubron (Hakkı)	35
Yabancı	İnsulin (Schering)	145
Yerli	İnsulin (Nevzat)	125
Yabancı	Quinium labarague	150
Yerli	Kina-Forsin (Eşref)	75
Yabancı	Sirop Deschiens	140
Yerli	Sirop Pertev	45

Kaynak: Prof. Dr. Turan Baytop. a. g. e. sf. 48

Yerli ve yabancı müstahzarlar arasındaki fark yaklaşık
%50 olarak gözükmektedir. Bu fark yabancı müstahzarların
ödedikleri gümrük vergisine bağlanamaz. Çünkü yerli ilaç
yapımcıları da yurt dışından getirttikleri etkili madde ve
ambalaj malzemesi için vergi ödemekteydiler. Fiyat artışla-
rının asıl nedeni yabancı kökenli ilaç yapımcılarının ve da-
ğıtıcılarının uyguladıkları kâr oranıdır. 25. 05. 1928 tarihli

"İspençiyarı ve tıbbi müstahzarlar kanunu" nun yerli ilaç sanayini koruma konusundaki eksikliklerini tamamlamak ve ithali yasaklanan ilaçlar listesinde bulunan, diş macunları, baş ağrısı kaşeleri Türkiye'de üretilmelerini ve yabancı firmaların Türkiye'de ilaç yapım tesislerinin kurulmasını önlemek için bu dönemin sağlık ve sosyal Yardım Bakanı Dr. Refik Saydam'ın desteğiyle 03. 08. 1936 tarih ve 2-5127 sayılı Bakanlar Kurulu kararı çıkartılmıştır. Bu karar metni ise aynen şöyledir:

"Memlekette lüzumundan fazla benzerleri yapılmakta olan baş ağrısı kaşeleri, diş macunları, öksürük ilaçları veya müshiller gibi bazı yabancı tıbbi müstahzarların kontenjan kararları ile hariçten sokulmalarına müsaade edilmemekte veya az miktarda girmelerine izin verilmekte olması dolayısı ile memlekette kazandıkları eski rağbetten istifade maksadı ile amili olan fabrikalardan Türkiye'de yapmak hakkı satın alınarak veya fabrikalarla ortak olmak sureti ile memlekette yapılması için vaki müracaatlar hakkında sıhhat ve içtimai muavenet vekilliğinin 17-03-1936, 08-07-1936 ve 78-4523, 152-11699 sayılı tekliflerini ve bu tekliflerle iktisat vekilliğinin 18-051935 tarih ve 402-19249 sayılı mütalaanamesini tetkik eden Şurayı Devlet Tanzimat Dairesi ile Umumi Heyetin mazbataları icra vekilleri heyetinin, 03-08-1936 tarihli toplantısında tetkik ve mütalaa edilerek yerli tıbbi müstahzaratın tutunabilmesini teminen, Sıhhat ve İçtimai Muavenat Vekilliğinin teklifi vechile Türkiye'de yapılması hakkının satın alınması veya yapılmalarına müsaade edilmemesi onanmıştır." denilmektedir.

Bu sınırlama kararı 11 yıl yürürlükte kaldıktan sonra dönemin Sağlık ve Sosyal Yardım Bakanı Dr. Behçet Uz'un önerisiyle (07. 08. 1946 - 10. 06. 1948 -18. 05. 1954 - 09. 12. 1955), 07. 06. 1947 tarih ve 3-5981 sayılı yeni bir Bakanlar Kurulu Kararnamesi ile yürürlükten kaldırılmıştır.

İSPENÇİYARİ VE TIBBİ MÜSTAHZARLAR
NİZAMNAMESİ

Yürürlüğe Koyan Bakanlar Kurulu Kararnamesi: No. 2/3238 - 13 Eylül 1935

Resmi Gazete ile neşir ve ilânı: 23 Eylül 1935 Sayı: 3113

MADDE 1 - Türkiye içinde yapılan veya dışarıdan getirilen tıbbi ve ispençiyari müstahzarlar fiyatlarına göre istihlâk resmine tabidirler. Bu resmi tıbbi ve ispençiyari müstahzarların zarfları üzerinde yazılı satış fiyatı yirmi beş kuruşa kadar olanlarda bir, elli kuruşa kadar olanlarda iki, yüz kuruşa kadar olanlarda üç, yüz kuruştan fazla olanlarda beş kuruştur.

İstihlâk resmi ispençiyari ve tıbbi müstahzarların zarfları üzerine ayrı ayrı pul yapıştırılmak suretiyle alınır. Pulların, yırtılmadıkça müstahzarların zarfı açılmayacak ve bir daha kullanılmasına imkân bırakmayacak surette yapıştırılmaları lâzımdır.

MADDE 2 - Türkiye içinde yapılanlarla dışarıdan getirtilenleri ayırt etmek için pullar, iki renkli ve bir, iki, üç ve beş kuruş değerinde olacaktır. Pulların şekilleri ve nevileri Maliye ve Sıhhat ve İçtimai Muavenet Bakanlıklarınca saptanır.

MADDE 3 - Türkiye içinde bu müstahzarları yapan kurumlar ihtiyaç halinde mahallî mal sandığına bir beyanname ile müracaat ederek ne nevi tıbbi veya ispençiyari müstahzara ne miktarda pul ilsak edeceğini bildirir. Mal sandığı da beyannamede cins ve miktarı gösterilen pulları bedeli karşılığında alâkadarlara verir.

MADDE 4 - Türkiye içinde yapılan tıbbi ve ispençiyari müstahzarlara mahsus pullar zarflara imalâthane sahipleri tarafından yapıştırılır. Tıbbi ve ispençiyari müstahzarları yapıldıkları yerlerden pul yapıştırmadan çıkarmak yasaktır. Mahallin en büyük sıhhiye memuru ile Maliye memuru lüzum gördükleri hallerde müstahzarların zarflarına pul yapıştırılmasında bulunmak üzere bir memur gönderebilirler.

MADDE 5 - Dışarıda yapılıp da Türkiye'ye sokulmasına esasen izin verilmiş olan tıbbi ve ispençiyari müstahzarlar için Sıhhat ve İçtimai Muvanet Bakanlığınca ilgili tüccara istekleri üzerine (Ismarlama izin kâğıdı) verilir.

Bu suretle getirilen müstahzarlar gümrüklerden geçirilirken gümrük idareleri gümrük beyannamelerinde ve bunlara bağlı olarak verilen ısmarlama izin kâğıdında yazılı miktara göre mal sahiplerine dışarıdan gelen tıbbi ve ispençiyari müstahzarlara mahsus puldan verirler.

MADDE 6 - Dışardan gelen tıbbi ve ispençiyari müstahzarların gümrük muamelesi bittikten sonra 48 saat zarfında gümrük idaresi tarafından mahallin en büyük sıhhiye memuruna resmen haber verilmek suretiyle malların gümrükten çıkarılmasına müsaade olunur.

Sıhhiye İdaresine yazılacak yazıda çıkarılan malın cinsi, miktarı, getiren tüccarın adı ve adresi ve verilen pul miktarı gösterilir. Tüccarın elinde ısmarlama izin kâğıdı varsa yazılan yazıda bu kâğıdın tarih ve sayısı ile tüccarın adı ve adresi ve verilen pul miktarını göstermek yeter.

Gümrük idaresinden alınan pulların, gümrük muamelesi bittikten en çok 48 saat sonra, tıbbi müstahzarları getiren tüccarın gümrük idaresine adres olarak gösterdiği yerde ve en büyük sıhhiye memuru tarafından gönderilecek bir memurun kontrolü altında zarflara yapıştırılması gereklidir.

Pul yapıştırılmayan müstahzarat satışa çıkarılamaz.

MADDE 7 - Dışarıdan posta ile gelen mahdut miktardaki tıbbi ve ispençiyari müstahzarların pulları gümrük idarelerince yapıştırılır.

MADDE 8 - Dışardan getirilecek tıbbi ve ispençiyari müstahzarlara mahsus pulların, malı gönderen tarafından zarfları üzerine gönderilirken yapıştırılması ve müstahzarların memlekete pullanmış olarak sokulması mümkündür. Bu suretle muamele yapılabilmek için müstahzarı getirecek olanlar Sıhhiye Vekâletinden alacakları iki nüsha ısmarlama izin kâğıdını gümrük idaresine göstererek üzerinde yazılı miktara göre alacakları pulları dışarıdaki fabrikalarına gönderirler. Gümrük idaresi ısmarlama izin kâğıdından bir nüshasını verdiği pulun miktarını yazarak altını pulları alana imza ettirdikten sonra dosyasında alıyor. Diğer nüshasını ne miktar pul verdiğine dair şerh verdikten sonra sahibine iade eder.

MADDE 9 - Zarfları dışarıdaki fabrikada pullanmış tıbbi ve ispençiyari müstahzarat gümrüğe geldiği zaman ilgililer üzerinde gümrük idaresince pul ita edildiğine dair meşruhatı bulunan 3 üncü nüsha ısmarlama izin kâğıdını gümrük beyannamelerine bağlarlar. Gümrüklerce kendi usullerine göre yapılan muayenelerde, gelen malların ısmarlama izin kâğıdında gösterilen tıbbi ve ispençiyari maddelere uygun oldukları ve pullanmış bulundukları anlaşılırsa mahallinin sıhhiye idaresine ihbarda bulunmadan gümrükten çıkartılmalarına müsaade olunur.

MADDE 10 - Ismarlama izin kâğıdında getirtilmesine izin verilen malın adedi, cinsi, adı, perakende satış fiyatı ve fabrikanın adı gösterilir ve altı Sıhhat ve İçtimai Muavenet Vekâletince tasdik olunur.

MADDE 11 - Ismarlama izin kâğıdı üzerine pulları alınıp da kâğıtta yazılı müstahzarlar getirtilmediği takdirde alınan pullar Sıhhat ve İçtimai Muavenet Vekâletince gösterilen süre içinde gümrük idarelerine geri verilir. Gümrük idareleri bu ciheti dosyalarında saklı ikinci nüsha ısmarlama izin kâğıtları üzerinde takip ederler.

MADDE 12 - Dışarıdan gelen müstahzarlara mahsus pulların bedelleri gümrük idarelerince emanet hesabına alınıp her on beş günde bir mal sandığına yatırılarak cari hesabı kapatılır.

MADDE 13 - Gümrükten mağazaya nakilden sonra bozulması, zarfların kırılması gibi sebeplerden dolayı kullanılamayacağı anlaşılan müstahzarlar pul yapıştırılmasına bakmak üzere gönderilen sıhhiye idaresi memurunun karşısında yok edilir ve keyfiyet pulların bedel ve miktarı da yazılmak üzere bir zabıt varakası ile saptanır.

MADDE 14 - Sıhhat ve İçtimai Muavenet Vekâleti memurları imalâthane, ecza deposu ve eczahanelerde yaptıkları araştırmalar sonunda pulsuz veya noksan pullu ispençiyari ve tıbbi müstahzarlara rastladıkları takdirde tutulacak zabıt varakasından bir nüshasını da mahallî mal sandığına tevdi ederler. Bu zabıt varakasında tıbbi ve ispençiyari müstahzarların adı, imâl edenin adı, fiyatı, adedi yerli ve yabancı yapısı mı olduğu gösterilir.

MADDE 15 - Maliye ve Gümrük ve İnhisarlar Vekâleti memurları ile ilgili diğer memurlar tarafından her nerede olursa olsun pulsuz veya noksan pullu olarak görülen ispençiyari ve tıbbi müstahzarlar hakkında da bir zabıt varakası tutulur. Resim ve ceza tahsil edilmeden evvel bu zabıt varakaları mahallinin en büyük sıhhiye memuruna gönderilerek varakada gösterilen müstahzarların kanunun tarif eylediği müstahzarlardan olup olmadığı tespit ve Türkiye içinde mi yapıldığı dışardan mı getirildiği ve fiyatının ne kadar olduğu tespit ettirilir. Maliye memurları tarafından yapılacak zabıt varakalarında müstahzarın zarfı üzerindeki yazıların hepsi gösterilir ve altı müstahzarların sahiplerine de imzalattırılır.

MADDE 16 - Tıbbi ve ispençiyari müstahzarların perakende satış fiyatları alâkadarları Sıhhat ve İçtimai Muavenet Vekâletince bildirilir. Dışarıdan getirtilecek tıbbi ve ispençiyari müstahzarlar için verilen ısmarlama izin kâğıdı da bildirme kâğıdı yerine tutar. İlgililer ilbaylığın en büyük sıhhiye memuruna başvurarak tıbbi ve ispençiyari müstahzarların perakende satış fiyatlarını tespit ettirebilir.

MADDE 17 - İstihlâk resmi verilmeden ticarete çıkarılan gerek Türkiye içinde yapılmış gerek dışardan getirtilmiş müstahzarlara vazıyet edilerek cezaen üç kat resmi ve tekerrürü halinde sahibinden başkaca yirmi beş liradan iki yüz liraya kadar hafif para cezası alınır. Kanunun onuncu maddesinde yazılı tahlil netcisende sâf ve formülüne muvafık olmadığı tebeyyün eden müstahzarlara dahi vazıyet olunarak yapılan muhakeme neticesinde yok edilir ve sahibinden elli liradan beş yüz liraya kadar ağır para cezası alınır ve tekerrürü halinde yapma veya sokma izni geri alınır.

MADDE 18 - Ruhsatsız olarak müstahzar yapıp satan veya sattıranlardan müstahzar yapmağa salâhiyetli bulundukları takdirde elli liradan iki yüz liraya kadar hafif para cezası ve müstahzar yapmaya salâhiyetli olmadıkları takdirde hükmen iki yüz liradan beş yüz liraya kadar ağır para cezası alınır ve bu müstahzarlara vazıyet edilerek mahkemece yok edilmesine dahi karar verilir. Dışardan izinsiz olarak müstahzar sokup satan ve sattıranlar hakkında bu madde hükümleri aynen cari olmakla beraber ayrıca gümrük ve kaçakçılık kanunları hükümleri de tatbik olunur.

MADDE 19 - Bu Nizamnamenin neşri tarihine kadar verilmiş olan ısmarlama izin kâğıtlarında perakende satış fiyatı gösterilmemiş ise tüccarın beyanına göre muamele ifa olunur.

MADDE 20 - Nizamnamenin neşri tarihinde ellerinde ispençiyari ve tıbbi müstahzarat bulunan ecza depoları ve eczaheneler bir hafta zarfında bir beyanname ile mal sandığına müracaat ederek parası peşin verilmek şartıyla lüzumlu miktarda pul alırlar. Bu pullar ispençiyari ve tıbbi müstahzarlara Sıhhiye Vekâletinin tensip edeceği memurların nezarati altında eczahane ve ecza depolarında yapıştırılır. Artan pullar yapılacak bir zabıt varakası ile mal sandığına iade edilir.

MADDE 21 - Nizamnamenin neşri tarihinden bir ay sonra ecza depolarında ve eczahanelerdeki bütün müstahzarat pullamış olacaktır.

MADDE 22 - 1262 sayılı kanunun yirmi birinci maddesine dayanarak kaleme alınmış ve Şûrayı Devletçe görülmüş olan bu nizamname hükümleri neşri gününden yürümeye başlar.

MADDE 23 - Bu nizamnamenin hükümlerini Adliye Maliye Sıhhat ve İçtimai Muavenet, Gümrük ve İnhisarlar Bakanlıkları yürütür.

SITMA VE FRENGİ İLAÇLARI İÇİN KANUN (1)

Kanun Numarası	: 2767
Kabul Tarihi	: 7/6/1935
Yayımlandığı R. Gazete: Tarih	: 15/6/1935 Sayı: 3029
Yayımlandığı Düstur : Tertip	: 3 Cilt:16 Sayfa: 602
Madde 1 - (Değişik)	: 7/2/1958-7075/1 md.

Kinin ve müştaklariyle milhlerini ve halen sıtma tedavisi ile sıtmadan korunmada kullanılan primathamine, PrimaYuine, ChloroYuine terkibindeki ilaçları, frengi tedavisinde kullanılmakta olan neosalvarsan ile aynı veya benzeri terkipleri, Arsenobonzol mürekkeplerini ve bunların her türlü ispençiyari şekillerini, bizmut ve İyodür milhlerini ve bunların mürekkepleriyle hazırlanmış olan ilaçları ve betahsis bu maksatla istimal olunan özel vasıflı penicillinleri ve ileridetedavideki müessiriyeti üstünlük gösterebilecek diğer sıtma ve frengi ilaçlarını ve her çeşit röntgen filimlerini yurda ithal etmek Türkiye Kızılay Cemiyetininmonopolü altındadır.

Monopol altına alınan ilaçların listesi Sıhhat ve İçtimai Muavenet Vekaletitarafından tanzim ve İcra Vekilleri Heyetince tasvip olunur. Bu listede değişiklik yapılmasına lüzum görüldüğü takdirde değişikliğin tatbik zamanı yine İcraVekilleri Heyeti tarafından kararlaştırılır.

Madde 2 - (Değişik: 7/2/1958 - 7075/1 md.)

Birinci maddeye göre monopol altına alınan ilaç ve filmlerden Türkiye Kızılay Cemiyetinden başka şahıslar namına gelenler gümrükten geçirilmez. Sahibi olmıyan ilaç ve filmlerle kaçak olarak yurda sokulmak istenilen veya bu şekilde girmiş bulunanlar derhal müsadere edilerek Türkiye Kızılay Cemiyetine devredilir. Muhbir ve müsadirlere 1918 sayılı kanun hükümlerine tevfikan ikramiye verilir.

Devlet daire ve müesseselerine ve İktisadi Devlet Teşekküllerine ve müesseselerine ve hayır kurumları ile bunlara bağlı hastane ve dispanserlere bedelsiz olarak gönderilen ilaç ve röntgen filmleri ile numune (Eşantiyon) mahiyetinde ücretsiz olarak gelenler yukarıdaki kayıttan müstesnadır.

Birinci maddede yazılı ilaç ve filmleri kaçak olarak yurda ithal eden veya ithale teşebbüs eyleyenler, malların değerine göre 500 liradan aşağı olmamak üzere ağır para cezasıyla cezalandırılır.

Madde 3 - (Değişik: 7/2/1958 - 7075/1 md.)

Birinci maddeye göre monopol altına alınan ilaç ve filmlerden Sıhhat ve İçtimai Muavenet Vekaletince tayin olunacak miktarları Kızılay Cemiyeti yurt içinde devamlı surette bulundurur. Malların toptan satış fiyatları Sıhhat ve İçtimai Muavenet Vekaleti ile Kızılay Cemiyeti arasında tespit edilir. 2490 sayılı kanunnun 69 uncu maddesine göre resmi dairelere yapılacak satışlar bu fiyatlar üzerinden yapılır.

Geçici Madde 1 - (7075 sayılı Kanunun numarasız Muvakkat maddesi olup teselsül için numaralandırılmıştır.)

Bu kanunun neşri tarihinden evvel döviz tahsisleri yapılmış ve siparişleri verilmiş olan ilaç ve röntgen filmlerinin sahipleri tarafından yurda ithaline müsaade edilir.

Madde 4 - Bu kanunun hükümleri 1 Eylül 1935 den yürür.

Madde 5 - Bu kanunun hükümlerini Sağlık ve Sosyal Yardım ve Gümrük ve Tekel Bakanları yürütür.

İLAÇ ZAMLARINA İLİŞKİN VERİLER

Günümüzde de insanlarımız için hayati önem taşıyan Türk filmlerine dahi malzeme olmuş ilaç fiyatlarının yüksekliğinin sebeplerini bu metinlerden çıkartmak mümkündür sanıyorum. Yine geçmiş yıllarda Eczacı Hüseyin Hüsnü Arsan'ın (1898-1949) "Türk Eczacı Alemi" dergisinde yazdığı bir yazıda şunları söylüyor:

"... Biz bir taraftan bu halkı hekime sevk ederken diğer taraftan ilacını ucuz vermeliyiz. Bilmeliyiz ki verilen ilaç paraları halkın rızklarından kesilmiş paralardır. Hastaya ödeyeceği derecede pahalı bir ilaç vermek hastanın o ilacı tedarik edememesini intaş eder. Bu takdirde gene koca karı ilaçlarına avdete mecbur olur... Biz bu lüks ilaçların yerine tedavi ve kimya noktasından tamamen aynı havasa malik ve onlardan 5-10 hatta 15 misli ucuz olan muadili kimyevilerini ikame etmenin yolunu bulmak zaruriyetindeyiz... "

Aradan geçen bunca zaman dilimine rağmen bu konunun hala çözümlenmiyor olması konunun altında başka nedenlerin var olduğunun işaretlerini vermektedir. Bu sorunların çözüme kavuşturulması için de ilk önce bu işlerin sorumlularının oturdukları makam ve üzerlerine aldıkları Yüce Türk Milleti'nin sorumluluğunu yerine getirme görevini ifa etmelidirler. (Granda. a. g. e.; Nail Güreli, Atatürk'ten sonra Atatürk, Gür yay. sf. 211-214, 1981-İstanbul; Büyük Doğu, sayı 8, 2 Aralık 1949)

Atatürk sabahları erken kalkmazdı. Geceleri çok geç, çogunlukla şafak sökerken yattığı için, gündüz saat on bir, on ikiye dogru kalkar, zile basardı. Hemen bir fincan kahveyle o günkü gazeteleri götürerek, günlük kahvesini verirdir. Kahveyi orta şekilde içerdi... Bazende şezlonga uzanır, uzun uzun günlük gazeteleri okur. Bu okuma bir buçuk saat kadar sürerdi.

Sonra banyosunu yapardı. Temizlik konusunda çok titizdi. Yaz ve kış ayırmaz, muhakkak her gün banyo yapar, hergün çamaşır değiştirirdi. Giyimine karşı titizlik gösterir, traşlı katiyen gezmezdi . Banyodan çıktıktan sonra, soguk ayranla bir dilim franca yer, bazan ayran'ın yerine bir kase yoğurt alırdı. Binde bir daveti bir konuk olacak ki, ayıp olmasın diye yemek yesin. Bazen sütlü kahveyle, çay istediği de olurdu. İkindi kahvaltısı yapmaz, onun yerine bir ekmek ve ayran içerdi. Akşam yemeklerini ise kesinlikle arkadaşlarıyla yemek alışkanlığındaydı. Çankaya ve Dolmabahçe sarayındaki akşam yemeklerinde sayısı on'dan aşağı düşmeyen bir davetli topluluğu her zaman hazır bulunurdu. Memleket meselesinin görüşüldüğü bu toplantılarda herkesin düşüncesini öğrenmek isterdi. Fakat yine de kendi bildiğinden şaşmazdı.

Atatürk sofra da günlük olayların dışında, Harf devrimi, din devrimi gibi yeni ve heyecanlı konularda ortaya attığı olurdu. Bazen herkesi şaşırtan bu konulardan alacağı olumlu cevaplar da olumsuz cevaplarda çok hoşuna giderdi. Sofrası çoğu akşamlar bir edebi sohbet meclisi halini alırdı. En çok tarih, politika, sanat konuları görüşülür, anılara değinilirdi. Günlük olaylar üzerinde de durulur ve tartışılırdı. Sanat ve musiki görüşmeleri de yapılırdı... Sofraya katılacak olanları Atatürk seçerdi. Önceden kimin geleceği pek belli olmazdı. Sonradan çağırtılıp, sofraya alınanlar da olurdu. Sofrası sanki o arkadaşları ve dostları ile tartışma ve eğlence yerini birleştiren bir köprü görevi görüyordu.

Şakayı çok severdi. Şakalaşanları gülümsemeyle izlerdi. Kendisi de ara sıra şaka yapardı. İşten ve yurt gezilerinden artan bütün ömrü sofra da geçmiştir denilebilir. Fakat burası hiç bir zaman bir içki ve cümbüş bayağılığına inmemiş bir sohbet ve tartışma meclisi olarak kalmıştır. Eğlencenin yanı sıra en zor devlet işlerinin karara bağlandığı bir meclis olmuştur. Buna; 'Politikanın ziyafet sofrası' adını takanlar yanılmamıştır. Atatürk bu alışkanlığını ömrünün sonuna dek değiştirmedi

Sofrada duyduğum kadarıyla Atatürk, bu alışkanlığını gençlik yıllarında almıştı. Daha Selanik'teyken Erkan-ı Harbiye Dairesinde İşini bitirir bitirmez mevsim eğer yazsa Beyaz kule bahçesinde, yok eğer kışsa Yonyo birahanesinde arkadaşlarıyla bir masa başında toplanır, ara sıra havai bir konu, çoğu kez de ciddi bir bahis açar, hem içilir hem de uzun uzun konuşulurdu.

Bu arada Atatürk'ün içmesine karşılık onu uyaranlarda ara da çıkardı.

Atatürk'ün içki içmesine karşı olanların başında Umumi Katip Yusuf Hikmet Bayur geliyordu. Onu içkisinden çaydırmak için türlü bahaneler bulur, fakat hiç birini başaramazdı.

Atatürk çok içmezdi. İçtiği zamanda içmesini bilirdi. Acele etmezdi, Konuşarak, sohbet ederek, yavaş yavaş içmeği severdi. Ölçüyü kaçırmazdı. Sarhoş olduğunu bir kez bile görmedim. Taşkın hareketine rastlamadım. "(granda. a. g. e. sf . 30-34/ 64-66)

Atatürk bu dönem de o devrin en ünlü rakısı olan Dimitrokopulo'dan yarım kilo içerdi. Mezesi de sadece tuzlu leblebiydi. Ara sıra da Fava denilen zeytin yağlı, limonlu bakla ezmesini istediği olurdu. (a. g. e. sf. 21)

On iki yıl boyunca Atatürk'ün yakınında bulunan Hizmetkarı şunları söylüyor:

"Her gece içtiği halde Atatürk'ün bir kere bile içki yüzünden kendinden geçtiğini, taşkınlıklar yaptığını görmedim, duymadım. Aksini iddia edenler varsa, bunların yaptıkları düpedüz dedikodudan başka bir şey değildir. Ölümünden sonra çekememezlik ve kıskançlıklarından, Atatürk'ün sofrasını sarhoşluk, ayyaşlık ve zevke düşkünlükle kötülemek isteyenler oldu. Ama bu çabalar ne kadar boşunadır. Onun yaşantısı bütün açıklığıyla meydandaydı. Gizlenecek bir yönü yoktu ki... HALKIN SOFRASIYDI. (a. g. e. sf. 34)

Reşit Galip vakası da bizlere çok iyi dersler vermektedir. Özellikle «Atatürk'e Diktatör» diyenlere bir şamar gibi patlayacak olan bu metinlerde, bir beyefendi kimliğini hangi şart ve koşulda olursa olsun hiç bozmayan gerçek Atatürk'ün örneklerinden birisi verilmektedir.

Yukarıdaki metinlerin tümünden de anlaşılacağı üzere, Atatürk'ün Köşk'te kurdurduğu sofrada, Atatürk bir alkolik ve devletin idare edildiği sofra olarak hiciv edilmektedir.

Fakat bilinmesi gereken iki husus vardır ki bunlar;

1- Atatürk ile bu sofraya iştirak edenlerin anlattıklarından da anlaşılacağı üzerine kurulan bu sofraların bir yemek sofrası ya da içki ve eğlence masası değil, bir tür akademi olduğudur.

2- Bütün devlet işlerinin görüşülüp karara bağlandığı bir yer olmadığıdır.

Köşkte kurulan bu sofrayı kısaca da şu şekilde tanımlamak mümkündür.

Sofranın karşısında bir büyük kara tahta, tebeşirleri ve silgisiyle birlikte hazır bulundurulurdu.

Sofrada iç ve dış politik, tarih, dil, çoğrafya gibi çeşitli bilimsel konular konuşulur, günün önemli meseleleri görüşülürdü. Sofrada herkes gayet açık bir şekilde fikirlerini söyler ve savunurdu. Buna aşağıda verileçek olan Reşit Galip örneğini verebiliriz.

Sofra da sıklıkla yer bulmuş ve daimi üyelerinden biri olan Kılıç Ali konuya ilişkin şunları söylüyor:

"Sofra, bazılarının sandığı ve telkin ettirmek istediği gibi, bütün devlet işlerinin müzakere yeri değildir. Bu mühim noktayı fark edemeyerek 'Sofra da Devlet işleri hallolunuyor ' diye günün birinde Atatürk'e karşı gelenler, ağır mesuliyetlerle etekleri tutuştuğu zaman o sofraya içinde çıkamadıkları devlet işlerini getirirler ve onları orada Atatürk'e hallettirerek sofradan ferahlık ve neşe içinde çekilirlerdi. Hatta bazende dedikodu mevzu yapmak istedikleri sofradan nasıl perişan bir halde koltukla götürüldüklerine az mı şahit olmuşuzdur." demektedir.

Gerçektende Atatürk'ün alkolik olduguna dair bu iftira ve dönemin meşhur Dalkavuklarınca toplum Atatürk yönünde yanlış yazılan yazılar bugün gerçekleri su yüzüne çıkarmak isteyenleri zor durumlarda bırakmaktadır.

Burada Maarif Vekili Dr. Reşit Galip Bey ile ilgili yaşanan bir olay dile getiriliyor aslında bu olayın böyle yaşanmadığını da bizzat içerde Atatürk'ün yanında bulunan uşağı anlatıyor:

"Dr Reşit Galip Atatürk'ün çok sevdiği ve nazını çektiği arkadaşlarından biriydi...Atatürk ile Reşit Galip arasında geçen oldukça ilginç bir tartışma vardır ki, birçokları tarafından yanlış bilinmektedir. Bir akşam sofrasında geçen bu tartışmayı, Yakup Kadri Karaosmanoğlu, Cumhuriyet gazetesinde yayınlanan bir yazısında yazmış, sonunu da bilenler tamamlasınlar demişti. Bilenlerden biri olarak üstadın bu makalesini tamamlamağa çalışacağım.

Atatürk asla kin tutmazdı. Bir kimseye ne kadar kızarsa kızsın, bir zaman sonra onu affeder, olanları unuturdu. Bu yüzden çevresinden birçokları zaman zaman gözden düşer, sonra yeniden affedilir, eski yerlerini alırlardı. Atatürk'e karşı gelen ve meydan okuyan Dr. Reşit Galip de, işte gözden düşüp, sonra itibara kavuşanlardandır.

Dolmabahçe Sarayının Harem kısmında (hususi daire) akşam sofrasını yeni kurmuştum. Mevsimlerden Yaz'dı. Konuklar birer ikişer geldiler, Ruşen Eşref Ünaydın, Recep Zühtü, Şükrü Kaya, Tevfik Rüştü Aras, Dr. Reşit Galip, Celal Sahir, Hasan Cemil Çambel ve bayanlar vardı. Yemek süresince herkes, her konuda konuştu... Milli Eğitim sorunları eleştirilirken Reşit Galip'in ayağa kalktığını gördüm. Doktorun pek tabi sayılmayan bir hali vardı. Çoşkuyla konuşuyordu, İçi içine sığmıyordu. O tarihte Halkevlerinin denetimi CHP Parti Meclisinde bulunan Reşit Galip'in elindeydi. Reşit Galip söze, o zamanın Milli Eğitim Bakanı Esat Hoca'dan yakınmayla başladı. Halkevlerinin temsil kollarında oynayacak piyeslerdeki kadın rolleri için Kız lisesinden kendi istekleriyle seçilecek amatör ruhlu kadın öğretmenlere, Esat Hoca'nın izin vermediğini söyledi. Tiyatronun eski Yunandan beri insanlık için bir sanat ve kültür kaynağı olduğunu, Halkevleri temsil kollarının da bu amaçla kurulduğunu, kadının bu kültür hareketinin dışında bırakılamayacağını, böyle bir düşüncenin devrimlerin ruhuna aykırı düşeceğini belirttikten sonra sesini perde perde yükselterek;

"Yaşlı insanlara vekillik yaptırmamalı. Memlekete fayda yerine zarar getiriyorlar" diye sert bir dille konuşmağa başladı. Atatürk biraz şaşkınlık, fakat büyük bir sabır ve, durgunlukla dinledi bu sözlerden sonra;

"Merak etmeyin, hepsi düzelecek." diye doktoru yatıştırmaya çalıştı.

Atatürk'ün o gece ki sabrına şaşıyordum doğrusu. Benim gibi herkeste aynı şaşkınlık vardı. Atatürk doktoru bir kez daha sabır ve durgunluğa çağırdıktan sonra;

"Siz böyle konuşmakla devam ederseniz, ben size muhatap olmamakta mazurum" dedi.

Fakat doktor öylesine dolgundu ki, giderek sesinin tonunu yükseltiyor, sözlerine gem vuramayarak daha tiz perdeden saldırılarını artırıyordu.

"Kabahat hep sizde Hocadır diye cahilleri başımıza koydunuz"

Sofrada bir bomba tesiri yapan bu konuşma üzerine Atatürk,

"Memlekette maarif vekili yok mu?"

"..."

"Var ya Esat Hoca Mükemmeldir. "deyince,

Reşit Galip,

"Hayır" anlamında başını sallayarak,

"Çok iyi ama, çok da ihtiyar. Artık ondan geçmiştir. Bu memleketin Maarif vekili o adam değildir. Bu memlekete daha dinç bir vekil gerektir" dedi.

Bunun üzerine Atatürk'le Reşit Galip arasında şu tartışma geçti; Atatürk,

"Yahu nasıl olur? Bu adam beni okutmuştur. Kültürü yerinde, ilmi vukufu vardır. Soframda Hocam hakkında böyle konuşmanı istemem. Beni okutan adam, Nasıl Maarif vekili olamazmış" dedi.

Reşit galip de,

"Değil seni okutmak, Senin Allah'ını okutsa yine bu adam Maarif vekili olamaz."dedi.

O devirde dalkavukların yanında böyle medeni cesaret sahibi sözünü sakınmaz cinsten kimselerde vardı. Fakat bu derece ileri gideceği, bir hükümet üyesi hakkında, hem de Atatürk'ün önünde bu derece sert konuşacağı kimsenin aklından bile geçmezdi... Sinirden titrediğini ve ellerini masaya dayadığını gördüğüm Atatürk, tarifsiz bir şekilde kızmıştı. Fakat duyğularını belli etmeden çok sakin şu buyruğu verdi:

"Lütfen sofrayı terk ediniz. "

Reşit Galip çoşmuştu bir kez. Ne karşılık Verdi dersiniz?

"Burası sizin değil, Milletin sofrasıdır. Burada oturmağa

sizin kadar hakkım vardır. Gerçi biz saraydayız ama, Hocanız Hacc-I Sultani değildir. Cumhuriyette tenkit serbesttir..." diye başlayınca Atatürk yavaşça yerinden kalktı. Kucağındaki peceteyi masaya bıraktıktan sonra;

"Öyleyse müsade ediniz ben terk edeyim" dedi ve dünya da eşi benzeri görülmemiş bir efendilik ve büyüklük örneği göstererek ayağa kalkıp, salondan çıkıp gitti... Sinirleri henüz yatışmamıştı. Yüzü sapsarıydı. Cumhurbaşkanı olduktan sonra belki de hiç kimse onunla böyle konuşmamıştı.

"Çelebi efendi desene ki yılanı koynumuz da büyütüyormuşuz."dedi. Karşılık vermeyerek yavaşça kapıyı açıp dışarı çıktım. Orada ki görevim bitmişti. O sıra da Yaver dağılmağa hazırlanan sofradakilere şu emir getirmişti:

"Reisi Cumhur hazretleri kendileri varmış gibi sofranın devamını arzu ediyorlar."

Yemek salonuna dönünce bir de ne göreyim Reşit Galip rakı kadehini dişlerinin arasına almış kemiriyor. Baş ucunda da Recep Lütfü ve Kılıç Ali duruyorlar. Öbür davetliler gitmişler. Reşit Galip başını kaldırıp beni görünce; "Çelebi, bana bir kadeh rakı ver." diye bağırdı. Nasıl verebilirdim bu durum da? Ertesi gün Reşit Galip, Atatürk'e ve İstanbul'a küserek Ankara'nın yolunu tuttu. Hatta cebinde on lirası bile olmadığı için tren parasını Umumi katip Tevfik Beyden borç aldığını hatırlarım.

Aradan bir ay geçmişti. Biz yine İstanbuldaydık. Saat on beş sularında yemek salonuna gelen Atatürk bir ara bana;

"Çelebi efendi, Şimdi Ankara'da Reşit Galip Bey bir Konferans verecek. Onu dinleyelim" dedi... Reşit Galip'in Türk Ocağı salonunda verdiği bir saatten fazla süren konferansı sessizce dinledi. Radyoyu kapattıktan sonra, gözlerinde bir sevinç pırıltısı yanıp söndü.

"Kendisini affettirdi." dedi.

On beş gün sonra Ankaraya gittik, ertesi akşam Reşit Galip'i sofraya çağrılmış gördüm. Sanki aralarında hiç bir şey olmamış gibi hareket ediyorlardı. Atatürk bir ara Reşit Galip'e doğru eğildi, Sadece onun işitebileceği bir sesle;

"Yarından itibaren Maarif Vekilisiniz" dedi.

Birkaç gün sonra da Anadolu Ajansı, Reşit Galip'in Milli Eğitim Bakanı olduğunu haber veriyordu. Reşit Galip'in üzerinde sevinç okunuyordu.

Toplantının en kıvamlı zamanında, Atatürk kapıda duran askerlerden ikisini çağırdı ve güreştirmeğe başladı. Çoğunluk böyle yapar, gezilerinde olsun, Köşkte olsun, yiğit Mehmetçiklerden bir kaçını yanına çağırarak güreştirir, Türk gücünün nelere yettiğini gözleriyle görmek isterdi. Hatta yanında bulunan çok sevdiklerini, bu Mehmetçiklerle istemeseler bile güreş tutuşturur, onların hırpalanışını hazla seyrederdi. Bir kaç keresinde de Mehmetçikleri kendisiyle güreşe davet etmiş, Fakat hiç biri" SENİN SIRTINI YEDİ DÜVEL YERE GETİREMEDİ, BİZ Mİ GETİRECEGİZ"diye güreşe yanaşmamışlardı.

...Atatürk askerlere işaret ederek yeni Bakanı "Altı okka" yapmalarını emretti... Baba yani iki asker, Reşit Galip'i karga tulumba kuçaklayı verdiler. Havaya kalkan bakan, önce bir iki çırpınmayı denedi, Fakat ne haddine. Dev gibi muhafızların birer çelik pençeyi andıran elleri arasıda kıpırdamak ne mümkün.

Askerler, Reşit Galip'i iki üç kez havaya kaldırdılar. Tam yere vuraçakları sıra da Atatürk'ün bir işaretiyle vurmaktan vaz geçiyorlar, tekrar var güçleriyle havaya sallıyorlardı.

Atatürk, Mehmetçiklere;

"Yeter" dedi. Sonra sofradakilere döndü. Gülerek;

"Biz istersek böyle de hareket edebiliriz"dedi.

Reşit Galip Bakanlıktan ayrıldıktan kısa bir zaman sonra İstanbul'a gitmişti. Bir gün moda da ailesiyle birlikte sandalda gezerken denize düşmüştü, bu olaydan sonra Zatürreye yakalanmış daha sonra Ankara da, Keçiören de bulunan evinde ölmüştü. (Cemal Granda , a. g. e. sf. 76-83)

Büyük Doğu, 5. yıl , sayı; 3, 28 Ekim 1949, sf. 10, 13

Büyük Doğu-Sayı; 4, Kasım 1949, sf. 10-11

Ogün deli, Agoni, sf. 137-152

Cemal Granda, a. g. e. sf. 193-197

Ruşen Eşref Ünaydın, a. g. e. sf. 8-13

Şehsuvaroğlu, a. g. e. sf. 19-20

Şehsuvaroğlu, a. g. e. sf. 19-20

Şehsuvaroğlu, a. g. e. sf. 69

Şehsuvaroğlu, a. g. e. sf. 20

Şehsuvaroğlu, a. g. e. sf. 20-21

Granda, a. g. e. sf. 386-387

Dr. Mehmet Göbelez, Gıdalarımız ve Sağlığımız, 3. baskı. Ank. sf. 86-97-99-109

Granda, sf. 463

Granda, sf. 389

Bedi, sf. 22-23

Şehsuvaroğlu, sf. 23-25

Farmakoloji ve Tedavi, İsmail Kara Mat. İst. 1955-Ank. Tıp. Fak. Kitaplığı, 14. 02. 1956, no;9047

Şehsuvaroğlu, a. g. e. sf. 69

GÖÇLERDE HİLAL-İ AHMER'İN ROLÜ

1859 yılında Fransız ve İtalyan Kuvvetlerinin Avusturya ordularına yenilgisi ile biten Solferino savaşını izleyen Jean Henry Dunant isimli bir İsviçreli, savaş meydanında yaşanan vahşetten etkilenerek kaleme aldığı "BİR SOLFERİNO HATIRASI" adlı eseri 1862 tarihinde yayınlandığında Avrupada ve ileri gelenlerce dikkatli bir şekilde incelenmiş ve takdir kazanmıştır. Bu kitabın sonunda:

"Barış zamanından itibaren, gayesi harp zamanında gönüllüler tarafından yaralıları tedavi ettirmek olan cemiyetler kurmak mümkün olamaz mı? Bir Kongrede bu derneklere temel olabilecek uluslar arası sözleşmelere dayanan kutsal bazı prensiplerin formüle edilmesi şayan-ı temenni değil midir?"-Tasvir-i Efkar, 8-9. 2. 1919 sözleriyle Kızılhaç'ın kurulmasında ilk adım atılmış oluyordu. Bu yıllarda Cenevre Halk İdaresi Derneği (La Societe Genevoise d'utilite Publigue) Başkanı Gustave Moynier'in öncülüğünde İsviçre Federal Konseyi (Le conseille federale Suisse)'nin çağrısıyla askeri yaralılara yardım derneği kurmak amacıyla Cenevre'de oluşturulan 5 kişilik komisyonsa Kızılhaç'ın temelini attı. - Hilal-i Ahmer'den Kızılay'a, l. cilt. sf. 8-2001, Ankara

"Böylece, 1863'teki adım, ulusal Kızılhaç dernekleri kurulmasını ve 1864 yılı Ağustos'unda da Birinci Cenevre Konvansiyonu'nun toplanmasını sağladı." - Seçil Akgün, General Harbord'un Anadolu gezisi ve Raporu, İst. 1981. s. 24)

Öncü ve ev sahibi ülke olan İsviçre'nin ulusal bayrağının tersi, beyaz üzerine kırmızı haç bulunması, aslında Konvansiyon'un da amblemi yapılmış olan Kızılhaç işareti benimsendi. (OHAC Raporu, 191-1922. s. 37-40. Vakit. 16. 7. 1919)

Belirli ilkeler çevresinde toplanan 12 ülke 22 Ağustos 1864'te duyurulan Cenevre sözleşmesi ile resmileşti- OHAC Raporu, 1919-22. s. 39. Hilal-i Ahmer'den Kızılay'a l. cilt. s. 11

30 Mart 1865'teki Paris Kongresi'nde düzenlenen anlaşmanın 7. maddesiyle örgütlenmenin din ve mezhep ayrımının üstünde olduğunun vurgulanmasına karşın yine de kimi tutucu Avrupa ülkeleri, katılmamayı yeğlediler. Ancak, 1868 yılında Vatikan'ın Cenevre Sözleşmesi'ni imzalaması üzerine koyu Katoliklerin katılım konusundaki kaygıları giderildi ve onlarda sözleşmeyi imzaladı. -Hilal-i Ahmer'den Kızılay'a l. cilt. s. 10

Tanzimatla birlikte Avrupa'ya açılan Osmanlı İmparatorluğunda ilk Cenevre Konvansiyonu'na delege gönderilmemişti. Buna rağmen Konvansiyonun katılmayanlara tanıdığı bir yıllık süreden faydalanarak 5 Temmuz 1865'te sözleşmeyi imzalamıştı.

1867 yılına gelindiğinde Paris'te düzenlenen ilk uluslararası Kızılhaç kongresine Osmanlı İmparatorluğu aslen Macar olan Dr. Abdullah Bey'i göndermişti. Abdullah Bey bu toplantıda kuruluşun daimi üyeliğine seçilmişti. Dr. Abdullah Bey'in ısrarlı girişimleri sonunda Serdar-ı Ekrem Ömer Paşa'nın konuya ilgisi uyandı. Sürülen çalışmalar ve Kırım-

lı Dr. Aziz Bey'in de çabalarıyla bir süre sonra Tıbbiye Na-
zır-ı Makro Paşa'nın başkanlığında 11 Haziran 1868 tarihin-
de Mecruhin ve Marda-yı Askeriyeye imdat ve Muavenet Ce-
miyeti, 14 Nisan 1877'de Osmanlı Hilal-i Ahmer Cemiyeti;
Saltanatın kaldırılması üzerine, 2 Kasım 1922'de Türkiye Hi-
lal-i Ahmer Cemiyeti; 28 Nisan 1935'te Türkiye Kızılay Cemi-
yeti, ve1945 yılında da Türkiye Kızılay Derneği adını almıştır.

Osmanlı İmparatorluğunun yıkılmasından sonra kuru-
lan yeni Türkiye Cumhuriyeti Devletinin Kurumları arasın-
da yerini alabilmiş nadir kurumlardan biridir.

Mübadelede görev alan Cemiyet, Osmanlı İmparatorlu-
ğunun son dönemde girdiği savaşlar ve Milli mücadelede
gösterdiği büyük başarılara rağmen eski gücü yitirmiş, za-
yıflatılmış ve Maalesef günümüzde yolsuzluk olaylarıyla
gündemimize sık sık gelme durumunda kalmıştır.

İşte bu Mübadeleyi yürütecek olan Karma Komisyonda
yer alarak göçmenlerin sağlık ve iaşelerinden ilgilenilmesi
Hükümetçe o günkü adıyla Hilal-i Ahmer'den istenmişti.
Yapılan toplantı sonrasında, Karma Komisyonda, Hilal-i
Ahmer'i temsilen Dr. Ömer Lütfi Bey'in Komisyonda görev-
lendirilmesine karar verildi.

Ayrıca mübadelede uygulanmak üzere bir program be-
lirlendi. Buna göre;

1-Muhtelif Mübadele Komisyonu Türk Murahhas Heye-
ti nezdinde bir Hilal-i Ahmer Delegesi bulunarak, bu dele-
ge vasıtasıyla yapılacak yardım esaslarının tanzimi,

2-Mudanya'da faaliyette bulunan Mübadele Komisyon-
ları'nın sevk edecekleri ahali için yol boyunca menziller ve
misafirhaneler tesisi,

3-Yunanistan'daki sevk iskelelerinde birer sıhhi imdat
heyeti bulundurulması,

4-Ahaliyi taşıyan vapurlarda birer doktor ve icabı kadar
hastabakıcı bulundurulması,

5-Ana yurda gelen Muhacirlerin çıkacakları iskelelerde
onar (10) yataklı birer dispanser bulunması,

6-Muhacirlerden zayıf, ihtiyar, malul kadın ve çocukların iskelelerden iskan edecekleri yerlere kadar sevklerini temin için kamyonlar bulundurulması,

7-İskan mıntıkalarından Hükümetçe lüzum görülen yerlerde baraka ve çadırlar kurulması ve Çanakkale'de İngilizlerden alınan 1016 barakanın bu maksada tahsisiYukarıda alınan bu önlemler vakit geçirmeden hemen uygulamaya geçilmişti. Karşı kıyıdaki en öncelikli noktalar, Selanik, Kavala ve Drama idi. Hemen faaliyete geçiler bu yerlerde, örneğin, Kavala'da 850'si 1923 yılı Aralık ayında olmak üzere 1450 hasta başvurmuş, bu hastalara yemek, ihtiyacı olanlara çamaşır sağlanmış, köylere hasta bakıcılar gönderilerek Tüm halk çiçek aşısı yapılmış ve yine Aralık ayı sonuna kadar halktan 79016 drahmi bağış toplanmıştır.

İşlerin yürütülmesi ve yapılacak olan hizmetler içinde elbette para lazımdı. Yukarıda kısa bir zaman zarfında yapılan bu hizmetler için ne kadar para ödendiğini ve ödenecek olan paranın ne kadar olabileceğini anlamak için aşağıda verilenlerin fikir sahibi olma babında önemli olduğunu sanmaktayım.

"12 Nisan-13 Mayıs (1924), arası 60 Türk Ziynet altını, iki 100'er liralık Türk altını, Köylerden katkılar, ayrıca dispanserlerde oluşturulan bağış kutularında toplanan 29307, 5 drahmi 700 kuruş eklenmişti. Drama'da ise halk, dispanser bağış kutularında aynı zaman diliminde 500 kuruş ve 58447 drahmi katkıda bulunmuştu. Selanik'te ise halkın yine Hilal-i Ahmer adına bağış toplamak istemesi üzerine Hükümetten gerekli izin alınarak bir heyet oluşturulmuş ve bağışlar, biri bağış sahibine, biri söz konusu heyete verilen, biri de Hilal-i Ahmet Merkezi Umumumisine gönderilen üç parçalı makbuzlar karşılığında toplanmıştı.

Yunanistan'dan, Türkiye'ye gelecek olanlar iki yolla göçü sağlanacaktı. Bunlardan biri yoğun olarak kullanılan Deniz yolu, diğeri karayolu yani trenleydi.

Deniz yolunda ağırlıklı olarak kullanılan Selanik limanı

ve diğerleri kullanılmıştı Uygun bir fiyata anlaşılan vapurların adı ise; Aslan, Türkiye, Mahmudiye, Bozkurt, Rumeli, Teşvikiye, Trabzon, Rize, Dumlupınar, Giresun, Sakarya, Sür'at, Sulh, Altay, Ankara, Bahri Cedid, olmak üzere 16 vapur kullanılmıştır.

Göçmenleri taşıyan bu vapurlar, İstanbul, Ayvalık ve İzmir limanlarına gelmişlerdir. Tren yolunda ise, Dramadan gelişler sağlanmıştır.

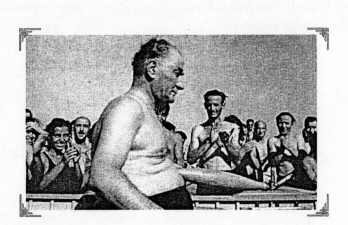

EKLER

EK 1

ATATÜRK'E DIŞ BASINDAN SALDIRI

Amerika'nın meşhur gazetelerinin biri olan Washington Times'ta Rollin' Along imzasıyla yayınlanan yazısında, ülkemizde birçok insanın bilip ya da bilmeden düştüğü bir hatanın, aleyhimizde nasıl kullanıldığına şahit olmaktayız

Washington Times

Rollin' Alone

Tek Başına Yuvarlanmak

"Atatürk güçlü bir adam ve onun insanları şanslı insanlar. " Bu, Kur'an'da başka sözcüklerle açıklanır, bugünlerde Türklerin yaşlı vahşi Mustafa Kemal Atatürk'e hayranlık duyacağı söylenir. İsmi 'başkan Türk' anlamına gelen Atatürk, Türkiye Cumhuriyeti'nin ilk Cumhurbaşkanı'dır ve yaşadığı sürece, bunu sürdürecektir.

Atatürk 57 yaşında, uzun, sarışın ve kızgın görünüşlüdür. Babası, posta taşıyıcısıydı. Gençken, ülkeyi sultandan kurtarmaya çalışan Genç Türk hareketine katıldı ve başarılı da oldu.

Onun ataları; Arnavutlar, Yunanlılar, Makedonyalılar ve Yahudiler gibi birbirlerini kırdılar.

O, gerçek gücünü Türkiye, 1. Dünya Savaşı'na merkezi güçlerin yanında girdiğinde gösterdi. Hızla yükseldi ve İngilizleri Çanakkale Boğazı'nda yenen o oldu. Bununla beraber İngilizler, bu açık gerçeği kabul etmezler. O, barış geldiğinde ordunun başına geçti ve Türkiye için daha iyi şartlar konusunda görüşmeler yaparken Sultanı tahttan indirdi ve Yunanistan'ı ezici biçimde yenen bir yönetim getirdi.

Anlaşma yapan galip ülkeler, diğer ülkelere yapmadıkları gibi, bir huzursuzluk yaratıcı olan Atatürk'e de meydan okumadılar. O, Avrupa'nın geri kalanı üzerinde bir blöf yapma amacında olan, gerçekte ilk diktatördü. O, Yunanistan'ı yendikten sonra müttefikler, Türkiye ile yaptıkları ilk anlaşma olan Sevr'den vazgeçtiler ve Lozan Barışı'na vekalet ettiler. Bu Doğu Trakya'yı ve İzmir'i Türklere verdi. İstanbul'daki denetimi geri verdi ve Yunan-Bulgar-Türk sınırındaki askeri durumu kaldırdı. Atatürk, bu dökümanla evine geldiğinde, kendisini Cumhurbaşkanı ilan etti.

O, bugünlerde zamanının çoğunu içki içerek geçiriyor. Sürekli az ya da çok sarhoş fakat asla durumunun bir tören süreciyle engellenmesine izin vermiyor. Bu kuvvetli adam sendeleyebilir, İçkisini dökebilir, yabancı bir diplomata hakaret edebilir veya bir bayana karşı küstahlık edebilir fakat kurnaz yaşlı beyni daima yüzde yüz kapasiteyle çalışır.

O, tüm kanlı fırsatçılar arasında 18 yılda Avrupa'ya yalnız başına tırmanmıştır. Atatürk ülkesini müthiş iyi duruma getirdi. Türkiye'yi tümüyle batılılaştırdı. Ulusal başlık olarak görülen fesi kaldırdı, tümüyle dini özgürlüğe izin verse bile din ile devlet işlerini ayırdı. Ve Müslümanlığın liderlik kurumu olan halifeliği kaldırdı

Atatürk, Hicri takvimi miladi takvim ile değiştirdi. Ağırlık ve ölçülerde metrik sistemi tanıttı. Kadının cinsiyetiyle ilgili köleliğini ortadan kaldırdı, peçenin atılmasını emretti, ona iş hayatının kapılarını açtı ve oy kullanma hakkı tanıdı.

Onun kanlı insafsızlığına şu örnek yeter; on iki yıl önce bir suikastçi onu öldürmeye kalkıştı. Atatürk bundan parlamentodaki muhalefeti sorumlu tuttu. Tümünü tutuklattı ve aynı gece Türkiye'nin Cumhurbaşkanı olarak tüm yabancı diplomatlara bir devlet yemeği verdi. Misafirler yediler, içtiler ve erken saatlere dek eğlendiler.

Atatürk giderek daha sarhoş oluyordu. Sonunda oda ya bir yaver girdi, onun yanına doğru adım attı ve kulağına fısıldadı. Cumhurbaşkanı kalktı ve misafirlerin ellerini alelacele sıkmaya başladı. Onlar şaşırdılar fakat işarete önem vermediler ve oradan ayrıldılar.

Diplomatların tüm otomobilleri kasabaya aynı yoldan peş peşe gitti. Onlar meydanın içinden geçerken, hala tekme atılan, Türk Parlamentosundaki muhalefetin ölü vücutlarını gördüler. Atatürk uluslararası bölücülerin yararı için, şovunun sonunu iyi ayarlamıştı.

Milletler yoluyla İngiltere, Habeşiştanla savaşından dolayı İtalya'ya ceza yüklenmesine karar verdiğinde, Mussolini ile iş yapma umudunda olan cemiyetteki az sayıda üye büyük yaygara üretti. Bu yüzden İngiltere, onların imzalarını almak için hesaplanan nakit paradan kaynaklanan iş kayıpları ve İtalya'ca satın alınacağı belirlenen malların kabulü altına imza atmak zorundaydı.

Atatürk, teklifine yöneldiğinde, ordu ve cephane için üç milyon dolar hesaplara ilave edilmişti.

İngiliz yabancı ofisi, "Cehennem bu alçağa ne yapar?" diye sordu. Eski ciltci (?) "Onun ülkesinin çok zayıf olduğunu göstermek isterim" "Ve ordunun yenilenmeye ihtiyacı var" diye cevap verdi. İtalya'nın Türkiye'yle beraber savaşa girmesi halinde, ceza yüklemek için para gerekeçekti. İngiltere'den savunma için para alamasaydık, İtalya'yı kızdırma riskine giremezdik Atatürk parayı aldı. (W. A. S. Douglas)

Bu yazıya karşı yapılan çalışmaları orada Anadolu Ajansının Muhabiri olarak görev yaptığı anlamı çıkan, Berle, Jr. bir yazı metnine karşı hukuki sürece ilişkin bir yazıyı Türkiye'ye gönderiyor. Bu metnin Türkçesi şöyle:

21 Nisan da (1938) KEN'de yayınlanan bir yazı neticesinde,Kemal Atatürk'ün hastalığı hakkında küçük bir çalışma yapmaktayım.

Columbia Bölgesi'nde medeni hukuk, Maryland Eyaleti'nde yürürlükte olduğundan beri yürürlüktedir. Medeni Hukuk, onur kırıcı yayının medeni yasa'ya göre hafif suç olduğunu söylüyor. Ne olursa olsun onur kırıcı yayın suçu,Columbia Bölgesi Kanunu'na göre tanımlı ve cezaya tabidir.Tüm gerekenler, bilerek gönderilen ya da verilen yayından oluşuyor. KEN yargılanmak için Washington'a getirilebilir; gönderilen ve verilen her türlü şey bulunmalıdır.

Yasa'nın 40. bölümü altında onur kırıcı yayın suçu eğer doğruysa iyi motivasyonla ve hukuka aykırı olmayan amaçla yayınlanırsa ispat edilebilir. Bu elemetleri savunma yoluyla kanıtlamakta,bir kaç sıkıntı var.

Bence bir suçlama Columbia Bölgesi'nin yasaları içinde yer alabilir.

Sanıklar, KEN ve tahminen ismi Arnold Gingrich olan yönetici editörü olabilir.

Problem, onları Columbia Bölgesi'ne getirmek. Onur kırıcı yayın suçu, sadece hafif bir suç olsa bile suçlunun ülkesine iade edilmesini gerektiren bir suçtur. Bu gerçekte yatan zorluk, Illionis yasaları ve onunla uyumlu olan Birleşik Devletler Suç yasası'na göre, suçlunun iade edilmesine yalnız' adaletten kaçma' durumunda izin verilmesidir.

Adalet kaçağı terimi,üstlenilen bir suç olduğundan yargılama süreci içinde bulunan fakat sonra da yargılanma sürecinden çıkan bir şahsı tanımlar. KEN'deki herhangi bir şahsın, bu yayın yapıldığında Columbia Bölgesi'nde olduğuna inanmak için hiç bir sebep yoktur. Biz elbette bir suçlama yapabilir ve sonra bu insanların bazılarının Washington'a ulaşmalarını bekleyebiliriz. Yayına ilişkin yasal durum altında yapabileceğimizin tümü, budur.

Ben hala Yüksek Mahkeme'ce özgün yargılanma olasılığını araştırıyorum fakat yukardakiler, yasamanın olası çizgisinin, yazının kendisi kadar heyecan uyandırmadığını gösteriyor. Kaçak, yabancı bir devletin başkanının, her hangi bir ülkenin büyükelçisinin ta da kurul başkanının karşısında olduğu için, suçlunun iade edilme yasası düzeltilmelidir.Kaçak Columbia Bölgesi'ne baş avukatın onaylaması ile iade edilebilir.

Bu biraz biçimsiz fakat Columbia Bölgesi, Kıtasal Bileşik Devletler'de yargılanma hakkına sahip olan tek federal yapıdır. Bu konu da, daha iyi bir şeyler bulduğum takdirde, biraz daha çalışmak istiyorum. (A. A. BERKLE)

Yukarıda verilen belgeden de anlaşıldığı kadarıyla Atatürk hakkında hakaretlere varıcı bu sözlere karşı yazan kişi ve Gazete hakkında Dışişleri Bakanlığımız tarafından konunun araştırılması istendiği ve alınacak önlemler tartışılmaktadır.

Bu sözlerin arkasından şunu iç rahatlığıyla söylemek mümkündür ki, Atatürk'e alkolik demek. Yapılacak en büyük hatalardan birisi olacaktır.

Osmanlı İmparatorluğunun iktidar olduğu yılları göz önüne getirerek herkesin gizli gizli alkol aldığı bir dönemde Atatürk alenen şekilde Milleti'nin karşısında gizlemeden, alenen içki içmesiyle bu dönemde çok alkol aldığı gibi saçma bir fikir üretilmiştir. Bu fikri üretenlerde bunu çok iyi bilmelerine karşın başta da anlattığımız gibi hazırladıkları tezgaha Ortam ve şart hazırlamışlardır.

EK 2

OSMANLI İMPARATORLUĞU'NDA MÜSLÜMAN

VE MUSEVİLERİN HUKUKİ DURUMU

Müslümanlarda Kur'an-ı Kerim'e dayalı şeriat hükümleri esas alınmış tüm şeriat hukuku Fıkıh maddeleri ile belirtilmiştir. Şeyhülislam tüm Müslümanların başı sayılıp onların yardımcıları olan Müftülerde günlük olayları Fıkıh kanunlarına göre yorumlayıp Fetvalar yazmıştır. Kadılar ise halkla doğrudan iletişim kurarak bu fetvaların şeriat doğrultusunda yürürlükte olması için çalışmışlardır.

Museviler ise, Hahambaşı tüm Musevilerin lideri sayılıp, Sultan'a karşı tüm Musevi cemaatinden sorumlu olmuş, hukuk kuralları Musevi halahası ile sınırlandırılmıştır. Halkın sorunları olmuş hukuk kuralları Musevi halahası ile sınırlandırılmıştır. Halkın sorunları bilgin hahamlara iletilip halahaya ve Yosef Caro'nun yazdığı şulhan Aruh kitabına göre yorumları yapılmış, responsolar yazılmıştır. Bu responsolar doğrultusunda diğer Hahamlar halkın doğru yolda ilerlemesini, yanlış yaptıklarında ise cezalandırılmasını sağlamıştır.

Buna göre aşağıdaki tabloyu oluşturmak mümkündür.

MÜSLÜMANLAR - MUSEVİLER

ŞERİAT HALAHA

ŞEYHÜLİSLAM HAHAMBAŞI

MÜFTÜ BİLGİN HAHAMLAR

FETVARESPONSA

KADI BET-DİN ÜYESİ HAHAM

Bu hukuk yapısı Cumhuriyetin kuruluşundan sonra tamamıyla değişmiştir.

HUKUKİ YAPISINA GÖRE; HALAHA-ŞULHAN ARUH

Musevilerde Hukuk sistemi; "Rabinik yasalar" veya "Halaha" olarak adlandırılır. Halaha, Medeni, Ahlaki, cezai kanunlardan başlayarak, kişinin yemek yeme, iş ahlakı, sosyal ve sanatsal etkinlikler, eğlence tarzı ve cinsel yaşama kadar uzanan hayata ilişkin tüm konuları kapsar.

Halaha adlı hukuk sistemi yüzyıllarca değişik şekillerde yazıya geçirilmiştir. Yeniden düzenlenerek yeni kurallarla zenginleştirildi.

Bu yasa sisteminin en son ve tüm Musevi cemaatlerinde kabul edilen şekli; Yosef Caro'nun 1565 yılında basılan Şulhan Aruh-Kurulu Sofra kitabıdır.

1488 yılında İspanya'da doğan Yosef Caro, İstanbul, Edirne ve Selanik'te yaşadı. 1522 yılında, Halaha kaidelerini son derece detaylı olarak yazdığı "Beit-Yosef" kitabını yayınladı. 1536 yılında Kabalist kişilerin yaşadığı İsrail'in kuzeyindeki Tsfat şehrine göç etti. Tsfat'taki din bilginlerinin lideri durumuna geldi. 1565 yılında hazırladığı kitap olan ŞULHAN-ARUH bu konuda en kapsamlı kitap iken İspanya kökenli Polonyalı Haham Moses ısserles tarafından doğu Avrupa Musevilerinin geleneklerinin de eklenmesiyle 1571 yılında "MAPPA-Sofra örtüsü" adını aldı. Böylece Caro'nun Şulhan Aruh kitabı Isserles'in eklemeleriyle tüm dünya Musevileri için geçerli oldu.

ŞULHAN ARUH kitabında Musevi dini yasaları 4 ana başlıkta incelenebilir.

1- ORAH HAYİM: Günlük görevleri ve emirleri içeren yasalar.Şabat ve Bayram kuralları.

2- YOREH DEAH: Yiyecek, İçecek, kaşrut kaideleri, temizlik, yas tutma kuralları.

3- EVEN HAEZER: Evlenme-Boşanma ve aile yasaları.

4- HOŞEN MİŞPAT: Sivil ve suç-ceza hukuku.

MUSEVİ DİN ADAMLARI - HAHAMLAR

Şulhan Aruh'ta maddeleştirilmiş olan yaşam kanunları Halaha'nın halk tabanında uygulanmasını hahamlar kontrol ettiler. Tüm hukuk düzeni, o şehrin hahambaşından sorulurdu.

RESPONSALAR

Musevi halk arasında dini kaidelerle ilgili bir sorun ortaya çıkınca konuyu nesillerinin dini kaideleri yıllarca en iyi yeşivalarda (din okullarında) öğrenmiş bilgin dini liderlerine yöneltirlerdi. Din adamları sorunla ilgili kişiye gönderilirlerdi. Bu bilgilerin toplu hale gelmesiyle de Responsa edebiyatı adıyla bir edebiyat türü oluşmuştu.

MUSEVİ TOPLUMUNDA HUKUK VE HAHAMBAŞILIK

Osmanlı Devletinde yaşayan Musevilerde hukuk düzeni yukarda da anlatıldığı gibi Hahamlar ve Hahambaşılarca yürütülüyordu. Bu 1535 yılında ölen Hahambaşı ELİYAH MİZRAHİ'den sonra Museviler Osmanlı devletinde çok varlıklı ve nüfuslu Musevi bilim adamları ve büyük tüccarlar tarafından temsil edildikleri için 300 yıl kadar İstanbul'da tüm yetkilerle donanmış bir hahambaşı ihtiyacı duyulmadı. 1835 yılına kadar her kentin ayrı bir Hahambaşısı vardı. Her şehrin Hahambaşısı her konuda kendi cematinden sorumluydu. 1800'lü yılların başında Museviler resmi makamlara karşı sahipsiz kaldılar.

1835 yılında II. Mahmut'un yenilik hareketleri esnasında Abraham Levi, 300 yıl aradan sonra ilk Hahambaşı tayin edildi. Onun ölümü üzerine yerine atanan Rabi Samuel Hayim'in adı ilk kez 1837 yılında Takvim-i Vekayi'de yayınlandı.

HAHAMBAŞILARIN GÖREVLERİ
ÜÇ ANA BÖLÜMDE İNCELENİR

1- Osmanlı Devleti nezdinde tüm Musevileri temsil eden en üst makamdır. Tüm Musevilerin, Sultanın emrine uymasını ve devlete vergilerini muntazam ödemelerini sağlardı.

2- Osmanlı İmparatorluğu sınırları içindeki cemaat içi okulların, derneklerin, sinagogların muntazam yürütülmesinde hahambaşılar sorumluydu.

3- Genel dini liderdi. Musevi hukuk düzeninin de başkanıydı. Tüm hukuki problemleri diğer din görevlileri aracılığıyla ve gerekirse devletinde polisinden yardım isteyerek çözümlemek zorundaydı. Dini ve ahlaki sorumluluklarını yerine getirmeyen, toplumla iyi geçinmeyen Musevileri "AFOROZ" etme yetkisi vardı.

Tüm ülke Musevilerinden bir tek sorumlu hahambaşısı tayin edilmeyen dönemlerde her şehrin veya bölgenin başında bulunan hahambaşısı, en üst dini,sosyal ve hukuki lider olarak aşağıdaki sorumluluklara sahipti:

A- Devlet yönetimi, Hahambaşının iznini almadan hiç bir hahamı sorguya çekemez, cezalandıramazdı.

B- Hiçbir Sinagog veya Musevi okuluna devlet yetkilileri hahambaşının izni olmadan giremez, kontrol ve soruşturma yapamazdı.

C- Tüm ülke Musevilerinin yargılanmalarından Hahambaşısı sorumlu idi. Müslüman kadılar tarafından sorgulansa bile Hahambaşı temsilcisinin onu savunma ve müdahale etme hakkı vardı.

D- Tüm Museviler, gıda düzenleri dahil her konu da Hahambaşının emirlerine uymak zorundaydılar.

E- Evlenme ve Boşanma yetkileri Hahambaşının elindeydi. Hiç kimse Hahambaşının izni olmadan evlenemez ve boşanamazdı.

F- Miras davaları veya gayri menkul alış-satışları Hahambaşının yetkisindeydi.

G- Ölen bir kişinin gömülmesi Haham ve Hahambaşıların iznine bağlıdır.

Hahambaşı ve Hahamların yetki ve sorumlulukları 21 Mart 1865 tarihinde "HAHAMHANE NİZAMNAMESİ" adı altında Sultan Abdülaziz'in onaylaması ile Takvim-i Vakaiye de yayınlanarak yürürlüğe girmiştir.

NO: 1 ABRAHAM HAZAN GERONA (GERONDİ)

13. yüzyıl ortalarında yaşamış, ibadet esnasında okunan ilahiler yazmış, Sefarad, İtalyan, Cezayir ve Karait dualarında onun şiirleri okunur.

Genellikle Musevi toplumunda Avraham Hazan'ın "Ahot Ketana" şiiri her yıl Roş-Haşana bayram duasında okunduğu bilinir.

NO: 2 MOŞE BENABRAHAM HAZAN (MOŞE HA-ME-MUNNEH BEN ABRAHAM)

15. yüzyılda yaşamış Yunan sinagog şairidir. 31 şiir yazmıştır. Şiirlerinde tüm kıtalar aynı kelime ile başlar ve aynı kelime ile sona erer.

NO: 3 YOSEF BEN ELİYAH HAZAN

İzmir'de doğmuştur. 17. yüzyılın ikinci yarısında yaşamıştır. Bir dönem İstanbul'da yaşadıktan sonra. İzmir'e geri dönmüştür. Sonraki yıllarda Jerusalem'e geçmiştir. Eserleri; EIN YOSEF (1675) VE YİNE AYNI İSİMDE BİR ROMANI VARDIR.

NO: 4 HAYİM BEN YOSEF HAZAN

İzmir'de doğmuştur. 17. yüzyılın sonları ile 18. yüzyılın başlarında yaşamıştır. İzmir Hahamlarındandır. Daha sonra Mısır'da ve Jerusalem'de din adamı olarak görev aldı. Çeşitli ülkelerden gelen dini sorulara yanıt vermiştir.

1704-1707 yıllarında, Abraham rovigo ile batı Avrupa ülkelerini, Jerusalem hahambaşılığı'nın bir temsilcisi olarak dolaştı. Özellikle Almanya ve Fransa'da bulundu. Doğu Avrupa ülkelerine ise, kendisi yalnız olarak dolaştı. Özellikle Almanya ve Fransa'da bulundu. Doğu Avrupa ülkelerine ise, kendisi yalnız olarak devam etti.

Eserleri; Shenot Hayyim (Venedik-1693), Toroh üzerine dinsel öğütlerini bu kitap'ta derledi. El yazısıyla hazırladığı yorumlar ise basılmadan kaldı.

NO: 5 DAVID BEN HAYİM HAZAN

İzmir'de doğdu. 18. yüzyıl ortalarında yaşadı. 1725 yılında bir süre Hamburg'da bir süre de Jerusalem'de bulundu.İzmir'de yazılı basının kurulmasını sağladı. Çoğunlukla Torah üzerine olan yorumlarını derledi.

Eserleri; Hozeh Davıd, Kohelet Ben David (1748), David ba-Metsudah (1748), Afan (Aggan) ha-sahar (1749)

NO: 6 YOSEF RAFAEL BEN HAYİM HAZZAN (1741-1819)

İzmir'de doğmuştur. İlk olarak İzmir'de haham olarak görev aldı. 1811 yılında Filistin'e gidip, Hepron şehrine "din adamı" göreviyle yerleşti 1813 yılında Jerusalem şehrinin Rishon Le-Zion'ı(Hahambaşısı) seçildi.Jerusalem'de öldü.

Eserleri; Hikre-i lev, Maarhe lev, Kontes hazihronot...

NO: 7 ELİYAH RAHAMİM HAZZAN

İzmir doğumludur. Yosef Ben Hayim Hazzan'ın oğludur. 19.yüzyılda din adamı olarak görev yapmıştır.

Eserleri; Orah Mişpat(1858), Even Ha-Mıkkah,

NO: 8 ELİEZER BEN YOSEF HAZZAN

Yosef Rafael Hazzan'ın oğludur. Eserleri: Hoker Davar, Ammudei arazım.

NO: 9 ISRAEL MOŞE HAZZAN (1808-1863)

İzmir doğumludur. 1811 yılında babası ile Jerusalem'e gitti. Orada, dedesi Yosef Rafael Hazzan'ın Yeşivasında eğitim gördü. 1842 yılında Jerusalem cemaatinin özel temsilcisi olarak Londra'ya gitti.

Londra da reformcu akımlara karşı mücadelede bulundu. Daha sonra Roma'ya geçti.1847_1854 yılları arasında Roma Hahambaşılığı yaptı.

Romadan sonra 5 yıl boyunca Korfu adasında görev aldı.Daha sonra Alexandria'da (İskenderiye) Av beıt din görevlisi olarak 1862 yılına kadar görev yaptı. Sağlık nedenlerinden dolayı gittiği Beyrut'ta 1863 yılında öldü.

Eserleri: Kinat ziyyon(1846),Dıvreı shalom ve emet (1856), Nahalal Le-Yısrael (1851) gibi eserleri bulunur.

NO: 10 HAYIM DAVID HAZZAN (1790-1869)

İzmir'de doğmuştur. Zamanın en büyük Talmutdistlerindendir. 1841 yılında İzmir Hahambaşısı oldu. 17 ocak 1869 tarihinde jerusalemde öldü

Eserleri: Torat hazebah (1852), Nediv Lev (1862),Yıtav Lev (1868)

NO: 11 YOSEF RAFAEL BEN HAYİM HAZAN

İzmir doğumludur. Din adamı olarak görev almamış,avukatlık yapmıştır.

NO: 12 HAYİM PALAÇİ (1788-1869)

1837'DE Bet-din üyesi,1847'de Rav şeni- ikinci haham daha sonra da Marbits torah unvanıyla yargı kısmında tek yetkili olarak tayin edilmiştir. 1855 yılında Rav kollel-haham başısı Hayim ba-yad olarak görev aldı.

Eserleri; Darkeı hayım (1821), Lev Hayyim (1823)....

NO: 13 AVRAHAM PALAÇİ (1809-1899)

İzmir doğumludur. 1870 yılında halkın büyük çoğunluğunun isteği üzerine 30 yıl boyunca Musevilere başkanlık etti. İbrani'ce ve Ladino-İspanyolca lisanında 26 eser yayınlamıştır.

NO: 14 ELİYAH BEHOR HAZAN (1840-1908)

İzmir doğumludur. 1866 yılında Jerusalem'de Cemaat sekreteri oldu. 1868'de din okulu öğretim üyesi oldu. 1871 yılında Filistin Musevi Cemaatinin hazinesinde bağışlarla ilgili konularda hukuk müşaviri oldu. 1874 yılında Tripoli hahambaşısı,1888 yılında İskenderiye hahambaşısı tayin edildi.1903 yılında Viyana'da yapılan l. Ortodoks Musevileri Din adamları toplantısına başkanlık etti.Ölünce Mısır'da Milli yas ilan edildi. Cenaze günü ülkede Milli tatil günü sayıldı.

Eserleri; Taalumot Lev (1877),Tov Lev (1868), Kontes Yışma moşe,Zirkon Yeruşalayim (1874) ve Neveh Şalom (1894)

KAYNAKÇA

1-Cemal Granda, Atatürk'ün uşağı idim, Hür. Yay.ist.

2-Prof. Dr. Bedii Şehsuvaroğlu, Atatürk'ün sağlık hayatı. Hür. yay. İst.

3-Hazan ailesi soy agacı

4-Nail Güreli, Atatürk'ten sonra Atatürk, Gür. yay. İst.

5-Ogün Deli, Agoni, Atatürk'ün ölümündeki sır perdesi, yazılamayan tarih, lazer yay. 2004 Ank.

6-Ruşen Eşref Ünaydın, Atatürk'ün hastalığı, Prof. Dr. Nihat Reşat Belger'le mülakat.TTK. Basımevi, seri no; 1, Ank.1959

7-Atatürk'ün Milli Dış Politikası, (Cumhuriyet dönemine ait 100 Belge) 1923-1938, 2.cilt, Kült. Bak. Yay. 1981

8-Süleyman Yeşilyurt, Ermeni, Yahudi, Rum asıllı Milletvekilleri, Zirve ofset. Ank.

9-Prof. Dr. Turhan Baytop,Türk Eczacılık Tarihi,Görsel sanatlar matbaacılık.İst.1997

10-Prof. Afet İnan, Atatürk'ten Hatıralar ve Belgeler, Ank.1959

11-Prof. Dr. Asım İsmail Arar,Atatürk'ün son Günleri, İst.1958

12-Falih Rıfkı Atay, Çankaya, İst. 1959

13-Dr. Sırrı Akıncı, Ata'nın Post-Mortem incelenmesi, Cumhuriyet gazetesi, 09.12.1972-Atatürk'ün Hastalıkları, Cumhuriyet gazetesi, 11.11.1975

14-Celal Bayar, Atatürk'ten Hatıralar, İst.1955

15-Farmakolog, Cilt; 12, no; 5,6,7 Yıl: 1942 İst.

16-Kılıç Ali, Atatürk'ün son günleri,İst.1955

17-Dr. İhsan A.Özkaya, Atatürk'ün Son hastalığı ve ölümü, Milliyet gazetesi 10/24-11-1976

18-Özel Şahingiray, Son Nöbet defteri, Ank.1955

19-Prof. Dr. Utkan Kocatürk, Kaynakcalı Atatürk Günlüğü, genişletilmiş son baskısı (1999) 2004

20-Farmakoloji ve Tedavi, İst. Üniv. A.T.F. Kitaplığı. Tarih; 14. 02. 1956, no: 9047, İst. Akgün mat.1955

21-İç Hastalıkları Semptomatoloji ve tedavi, cilt; 2-3 Baskı, Ank. 1947

22-Journal Of Hepatogy-Milestones ın liver Dısease (Hepotoloji Dergisi, Karaciğer hastalığında dönüm noktaları) Yıl; 2002

23-Toksiloji Dergisi, Ocak-2004, cilt: 2, Sayı; 1

24-Martindale-The complete Drug, 32. Baskı

25-Dr. Oğuz Canay, Tıbbi Farmakoloji, İlaç tanıtımı-İlaç indeksi, 1982-1983, Gözlem Mat. İst.

26-Hasan Cem, Dünya ve Türkiye'de Masonluk, Özdemir. Bas. 1976

27-Cemal Kutay, Atatürk'ün son günleri, iklim. Yay. 2005

28-Ahmet Gürkan, İslam Kültürünün Garbı Medenileştirmesi, Nur. Yay. Ank.

29-Dr.Ali Nejat Ölçen, Osmanlı Meclisi Mebusanda İttihat ve Terakki Zorbalığı ve Siyasal İşkenceler. Ayça Yay. 1982

30-Behzat Şaşal, Atatürk'ü tanımak ve anlamak, Anayurt gaz. Ank. 2004

31-Prof. Dr. Ali Sarıkoyuncu, Atatürk-din ve din adamları, Türkiye Diyanet Vakfı Yay. 2003. Ank.

32-Söylev (Nutuk)-1-2,Türk Dil Kurumu yay.

33-Dr. Mehmet Göbelez, Gıdalarımız ve Sağlığımız, Özüm yay.

34-Tarih Vakfı-Eylül, 2003

35- Doç. Dr. Abdurrahman Küçük, Dönmeler Tarihi, sh. 543, Rehber Yayınları, Ankara, 1990; G. Scholem, Doenmeh, Encyclopedia Judaica, VI/150-151

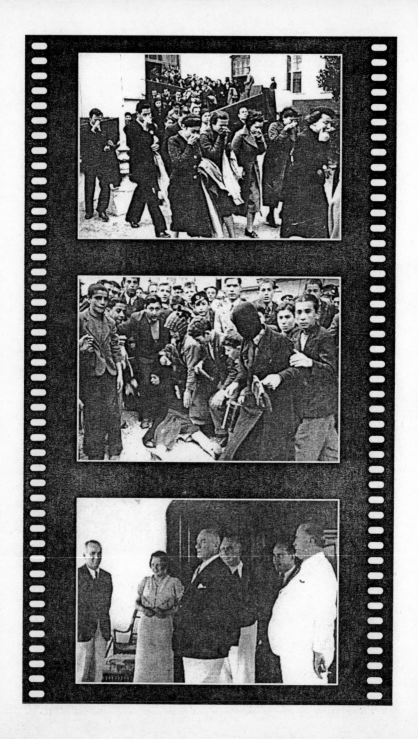

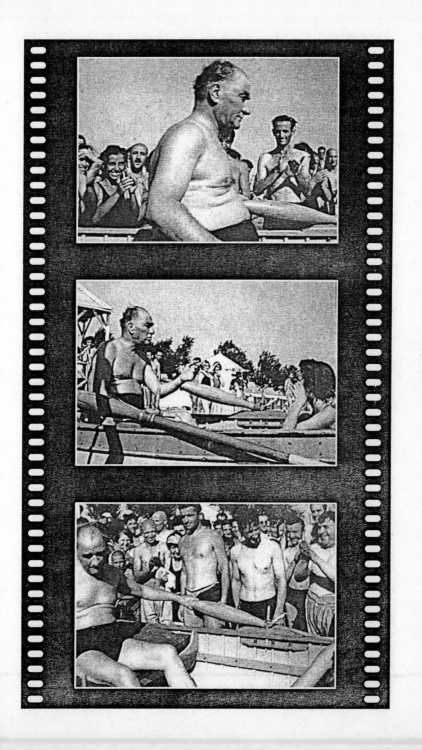

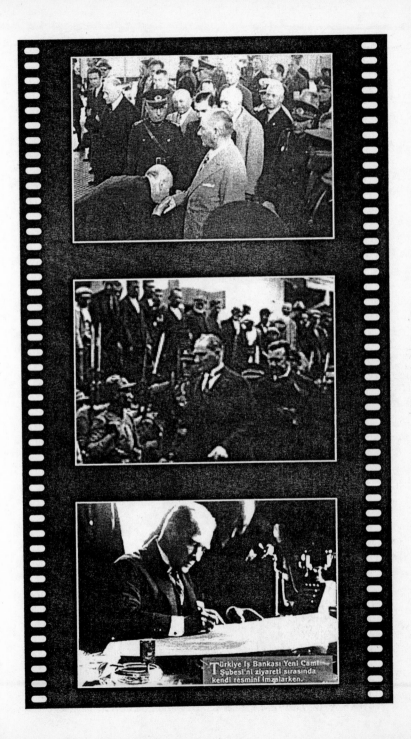

Türkiye İş Bankası Yeni Cami Şubesi'ni ziyareti sırasında kendi resmini imzalarken.

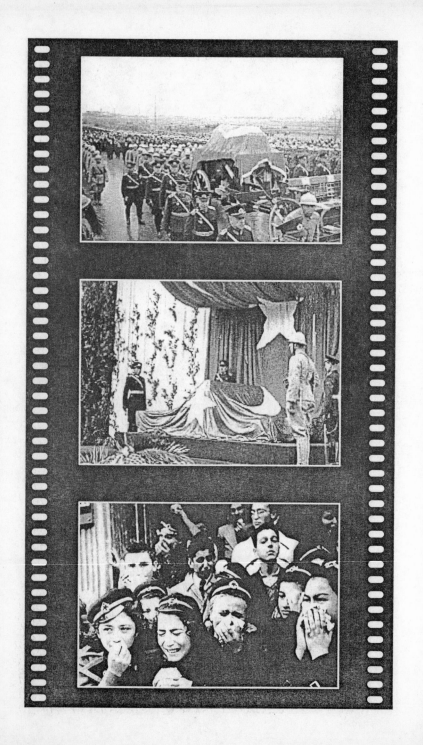

Farklı, sıradışı kitaplar için...

Farklı, sıradışı kitaplar için...

Akis Kitap - www.akiskitap.com -

※Aşk Nedir? ※Ölümsüz Aşk
※Romantik Filimler ※Aşk Testi
※Aşıklara Özel Mekanlar

Aşk Kalbin Güneşidir

Tüm Gazete Bayilerinde   **2.95** YTL

Türkiye'nin En Yeni AŞK Dolu Dergisi

İletişim: 0212 243 61 84